走 进 新 疆 丛 书

ZOUJINXINJIANG
CONGSHU

新疆奇石
收藏与鉴赏

刘长明　主编

马吉青　著

新 疆 美 术 摄 影 出 版 社
新 疆 电 子 出 版 社

图书在版编目（CIP）数据

新疆奇石收藏与鉴赏 / 刘长明主编. – 乌鲁木齐:新

疆美术摄影出版社,新疆电子出版社,2005.6

（走进新疆丛书）

ISBN 7–80658–778–0

Ⅰ.新... Ⅱ.刘... Ⅲ.①奇石 – 收藏 – 新疆②奇石 – 鉴赏 – 新疆 Ⅳ.G894

中国版本图书馆 CIP 数据核字（2005）第 058474 号

审图号:新 S（2005）030 号 地图审核:新疆维吾尔自治区测绘局

新疆奇石收藏与鉴赏

主 编	刘长明	
作 者	马吉青	
图片提供	李文革 郑向前 郭晓东 张昕中 刘志铭 顾正清 韩连赟	
	鲁全国 樊文净 王建中 谭斌成 丁 宁 晏 先	
策 划	新疆电子出版社策划部	
责任编辑	文昊 瀚海	
装帧设计	王洋 李瑞芳	
出 版	新疆美术摄影出版社	
	新疆电子出版社	
社 址	乌鲁木齐市解放南路346号 邮 编 830001 网 址:www.xjdzcb.com	
电 话	0991-2845286（发行一部） 0991-2845196（编辑部一室）	
发 行	新华书店	
印 刷	新疆新华印刷厂	
开 本	787mm×1092mm 1/16 字 数 282千字	
版 次	2005年7月第1次印刷 2006年2月第2次印刷	
印 张	11.75	
书 号	ISBN 7-80658-778-0	
定 价	68.00元（收藏版）	

春来更有好花枝

刘长明

　　时逢新疆维吾尔自治区成立 50 周年喜庆之日，一套全方位、多视角反映新疆 50 年巨变的大型丛书《走进新疆》付梓，可喜可贺。这套丛书如同一束鲜花集中表达了新疆出版战线对自治区 50 华诞祝愿的一份深情，寄托着对新疆美好未来的憧憬。

　　《走进新疆》丛书，就其选题而言，谈不上是一种独创，在这之前，有关介绍新疆风土人情、历史沿革、时代变迁和宣传新疆经济和社会发展的书籍已出了不少，其中不乏精品佳作。可是，我仍然抱着这样一种执著的观点：宣传介绍新疆不仅是我们不可懈怠的责任，而且是不容停顿的连续过程，还必须使这个过程变得更具有张力和震撼力。如果我们不确立这样的观点，我们的图书出版就会失去重心，就会偏离新疆改革、发展、稳定这个大局所寄予我们的期待。

　　当今是一个开放的时代，任何地区为了获得发展的活力，毫不例外地都要走开放之路。图书出版在促进对内对外开放方面有着不可替代的功能，它是增长见识、开阔视野的平台，是沟通与交流的桥梁，是加强理解与互信的纽带。我以为，《走进新疆》丛书的出版，对于一个致力于民族团结进步的新疆，一个积极融入现代文明进程的新疆，一个设法从开放大潮中寻求合作发展机遇的新疆，无疑是一件有意义的事情。它在消除和改善外界对新疆仍然存在的很多不确切、不完整的看法，进一步展示新疆充满活力、团结和谐、昂扬向上的社会风貌等方面将发挥积极的宣传导向作用。

　　其实，出版这套丛书，还包含着这样的初衷：即让新疆人更好地了解新疆。尽管很多人身处新疆,然而未必都全面而准确地了解日新月异的新疆和有着悠久历史的新疆。存在于人们头脑中的某些片断的、局部的、感性的认识成分往往限制了人们的视野,影响了理解的深度,使人们的思想有时甚至会变得偏狭、片面。这对于我们内部的交流、沟通、理解难免会形成阻隔。我们有必要排除这种阻隔,使各民族更加心心相通、心心相印。所以,统一认识、凝聚力量,培育爱新疆、爱祖国的情怀,自然就成为出版这套丛书的应有之义。

宣传新疆、介绍新疆之所以是一个没有止境的出版选择,还有一个重要的原因,那就是伴随着我们认识的深化而深化宣传的需要。党中央提出树立科学发展观,建设和谐社会的要求,为我们提供了宣传新疆、介绍新疆的全新思路,使我们能站在时代的制高点上,重新描述新疆、解读新疆。事实上,这是一项比以往更为艰巨、更为迫切、更为重要的出版任务。

我以为,《走进新疆》丛书的出版正是回应了时代向图书出版提出的这个要求,同时也向完成这一任务迈出了第一步。我想只要有一个好的开端,就会有更多的写书人、出书人跟进,来推动宣传新疆、介绍新疆的工作,使其功能进一步放大,为新疆的物质文明、精神文明、政治文明建设做出积极的贡献。

《走进新疆》丛书,其内容集新疆地理、历史、人文、经济、社会发展为一体。她似一幅打开的历史与时代相辉映的色彩绚丽、形象鲜明、情感丰沛的画卷,从中我们可以真切地领略到新疆自然、人文之美,体味到新疆人爱国、爱家的行为之美,感受到新疆各族人民追求美好生活的创造之美。

这套丛书的第一辑,推出了七部作品:1.《走读喀什》,2.《品味吐鲁番》,3.《揽胜伊犁》,4.《行吟阿勒泰》,5.《珍藏喀纳斯》,6.《精彩新疆》,7.《新疆奇石收藏与鉴赏》。这些作品,有的洋洋洒洒,气势恢弘;有的精巧玲珑,耐人寻味;有的风趣幽默,寓知于乐;有的手法新颖,庄谐并重;有的笔触细腻,精雕细琢;有的着笔简犷,写意传神;有的文笔超然,洒脱自在……风格虽不同,但字里行间无不洋溢着真诚的感受、赤诚的爱心。倘若你读了《走进新疆》之后,定会谛听到新疆与时俱进的足音,会给你带来对新疆全新的认识和理解。这也正是我们一种真诚的期待。

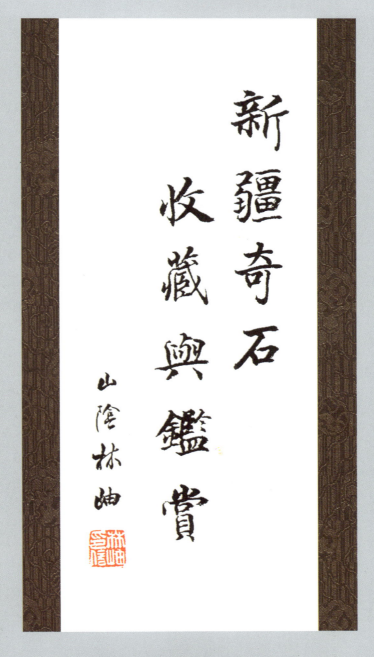

新疆奇石

收藏與鑑賞

山陰林岫

林岫　中国书法家协会副主席

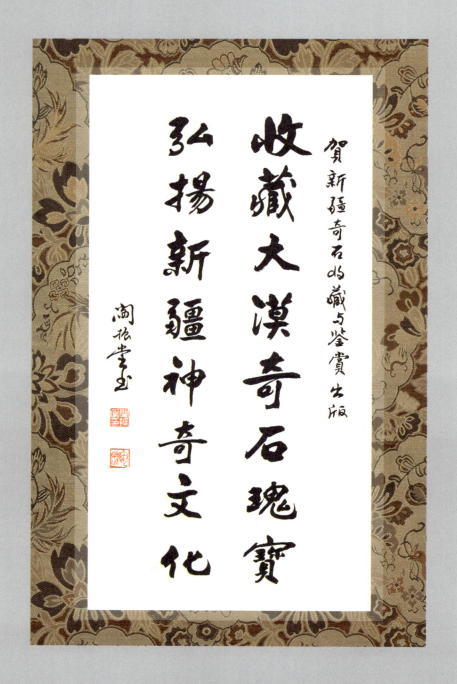

收藏大漠奇石瑰寶
弘揚新疆神奇文化

賀新疆奇石收藏與鑒賞出版

閻振堂書

阎振堂 中国收藏家协会会长

目录 Contents

目录 *Contents*

目录 Contents

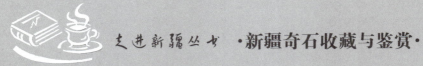

走进新疆丛书 ·新疆奇石收藏与鉴赏·

目录 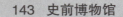 Contents

石芝灵龟鹰

精品赏析——具象石

[鹰龟灵芝石] A面

题名：鹰龟灵芝石

石种：风凌石

规格：20cm×17cm×13cm

产地：哈密马蹄山

1

精品赏析——

具象石

［鹰龟灵芝石］B面

［鹰龟灵芝石］C面

2

2

题名：大鲵

石种：砂碛石

规格：116cm×36cm×24cm

产地：哈密南湖戈壁

[永恒的爱] A面

题名：永恒的爱
石种：硅化木
规格：18cm×30cm×10cm
产地：哈密沙尔湖

[永恒的爱] B面

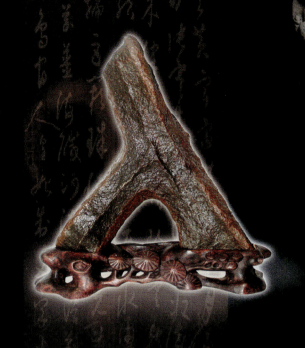

题名：「入」字石
石种：火山岩
规格：21cm×26cm×9cm
产地：哈密南湖戈壁

题名：「王」字石
石种：火山岩
规格：63cm×45cm×30cm
产地：哈密南湖戈壁
成交价：13万元人民币

题名：慈航普度
石种：硅化木
规格：13cm×4cm×5cm
产地：哈密南湖戈壁

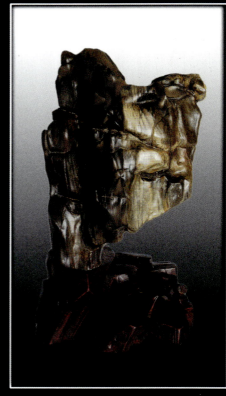

题名：大漠之舟
石种：硅化木
规格：28cm×14cm×13cm
产地：哈密南湖戈壁

精品賞析——具象石

题名：笑口常开
石种：硅化木
规格：10cm×19cm×16cm
产地：哈密南湖戈壁

题名：关公
石种：硅化木
规格：16cm×10cm×8cm
产地：哈密沙尔湖红山

精品赏析——

具象石

题名：中华龙
石种：玛瑙
规格：15cm×12cm×9cm
产地：哈密沙尔湖红山

题名：马头石
石种：玛瑙石
规格：9cm×6cm×5cm
产地：伊吾淖毛湖

8

精品赏析——具象石

题名：仕女
石种：玛瑙
产地：伊吾淖毛湖

题名：仕女
石种：玛河石
产地：石河子

题名：蟒蛇
石种：硅化木
规格：33cm × 26cm × 13cm
产地：哈密沙尔湖

题名：蚕
石种：硅化木
规格：96cm × 25cm × 30cm
产地：哈密南湖戈壁
成交价：10 万元人民币

题名：武士
石种：硅化木
规格：26cm×18cm×16cm
产地：哈密南湖戈壁

题名：北京猿人
石种：硅化木
规格：19cm×14cm×7cm
产地：哈密南湖戈壁

精品赏析——

具象石

题名：一代伟人
石种：额河石
产地：富蕴

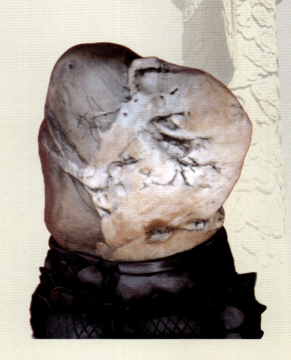

题名：伟人像
石种：戈壁玉
产地：鄯善南戈壁

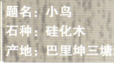

题名：小鸟
石种：硅化木
产地：巴里坤三塘湖

题名：耕牛图
石种：和田玉
产地：和田

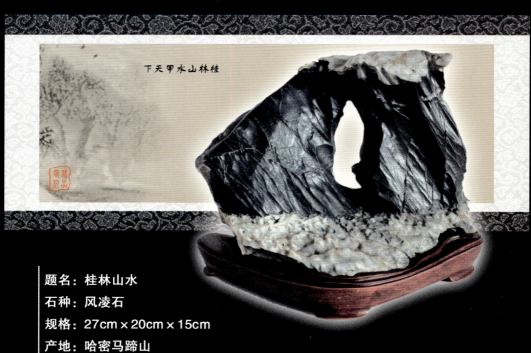

桂林山水甲天下

题名：桂林山水

石种：风凌石

规格：27cm×20cm×15cm

产地：哈密马蹄山

题名：荷塘春雨

石种：戈壁石

规格：17cm × 16cm × 9cm

产地：鄯善南戈壁

［聚宝盆］局部

题名：聚宝盆

石种：果子化石

规格：24cm × 17cm × 12cm

产地：哈密沙尔湖

题名：小黄山
石种：硅化木
规格：35cm×20cm×30cm
产地：哈密南湖戈壁

题名：春夏秋冬
石种：额河石
产地：富蕴

春　夏　秋　冬

题名：天山冬韵
石种：风凌石
规格：33cm×22cm×19cm
产地：哈密马蹄山

题名：江山如画
石种：硅化木
规格：44cm×24cm×20cm
产地：哈密南湖戈壁

[云根] 局部

题名：云根
石种：硅化木
规格：25cm×10cm×9cm
产地：哈密南湖戈壁

精品赏析——抽象石

题名：星空
石种：硅化木
规格：16cm×13cm×4cm
产地：伊吾淖毛湖

题名：翔
石种：风凌石
规格：33cm × 12cm × 13cm
产地：哈密马蹄山

精品赏析——抽象石

题名：禅
石种：戈壁玉
规格：25cm × 14cm × 12cm
产地：鄯善南戈壁

题名：枕石
石种：泥石
规格：63cm × 20cm × 22cm
产地：鄯善南戈壁

题名：棱
石种：戈壁石
规格：16cm×10cm×9cm
产地：哈密南湖戈壁

题名：律
石种：泥石
规格：16cm×12cm×9cm
产地：哈密南湖戈壁

精品赏析——抽象石

题名：一帆风顺
石种：戈壁石
规格：23cm×16cm×12cm
产地：哈密南湖戈壁

题名：旋
石种：戈壁石
规格：20cm×12cm×8cm
产地：鄯善南戈壁

精品赏石之玉玲珑

题名：玉玲珑
石种：风凌石
规格：18cm×8cm×7cm
产地：哈密马蹄山

千手观音

题名：千手观音
石种：蛋白石
规格：22cm×17cm×13cm
产地：哈密雅满苏

题名：雁南飞
石种：碧玉
规格：14cm × 7cm × 4cm
产地：哈密南湖戈壁

题名：律
石种：硅化木
规格：36cm × 10cm × 4cm
产地：哈密沙尔湖

品种图录

品种：铁化木
产地：哈密南湖戈壁

品种：七彩硅化木
产地：哈密沙尔湖红山

品种：钙化木
产地：哈密南湖戈壁

品种：炭化木（俗称）
产地：哈密南湖戈壁

品种：钙化木琥珀共生
产地：哈密南湖戈壁

品种：硅化木方解石共生
产地：巴里坤三塘湖

品种图录

品种：硅化木及须根
产地：哈密南湖戈壁

品种：硅化木树瘤
产地：哈密南湖戈壁

品种：风凌石
产地：哈密马蹄山

品种：风凌石
产地：鄯善风凌山

品种：风凌石
产地：哈密沙垄

品种：风凌石
产地：和布克赛尔县哈拉阿拉山

品种图录

品种：果子化石（俗称）
产地：哈密沙尔湖

品种：珊瑚化石
产地：鄯善化石山

品种：海相生物化石
产地：鄯善化石山

品种：珊瑚化石
产地：哈密南湖戈壁

品种：石球
产地：哈密二道沟

品种：石球
产地：鄯善南戈壁

品种图录

品种：额河石
产地：富蕴

品种：玛河石
产地：石河子

品种：玛纳斯碧玉
产地：石河子

品种：戈壁玉
产地：鄯善南戈壁

品种：和田卵石
产地：和田

品种：彩石（彩玉）
产地：鄯善彩石山

品种图录

品种：沙漠绿
产地：哈密南湖戈壁

品种：模树石
产地：鄯善南戈壁

品种：千层石
产地：哈密南湖戈壁

品种：沙漠珍珠
产地：哈密沙尔湖

品种：土古玉
产地：哈密南湖戈壁

品种：豆瓣石
产地：哈密南湖戈壁

品种图录

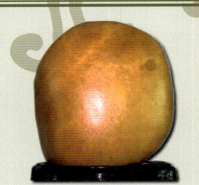

品种：烧饼石（俗称）
产地：克拉玛依乌尔禾

品种：火山岩
产地：哈密南湖戈壁

品种：砂磺岩
产地：克拉玛依乌尔禾

品种：羊肝石
产地：哈密沙垄

品种：蛋白石
产地：哈密雅满苏

品种：钟乳石
产地：哈密天湖

收藏认知篇

新疆奇石收藏与鉴赏
The collection and appreciation of rare stone in Xinjiang

天赐瑰宝
——新疆奇石

新疆地处祖国边陲和亚洲大陆腹地,面积160余万平方千米,占全国面积的六分之一。境内有世界著名的三大山系、两大内陆盆地。"三山都产宝,盆地聚油煤"这是对新疆资源情况的高度概括。这里不仅有丰富的石油和煤炭两大优势资源,而且还是我国黑色冶金矿产资源、有色金属和稀有金属矿产资源的富集区,近几年还因丰富的奇石资源而蜚声国内外。

丰富多彩的地形地貌

谈到新疆的奇石,不能不首先介绍一下新疆的高山、河流和沙漠戈壁,正是它们才孕育了新疆千奇百怪、玉质天章的奇石。

新疆的基本地形轮廓是"三山夹两盆"。山地面积约占新疆大地的44%。巍峨壮观、绵延起伏的阿尔泰山、天山和昆仑山等巨大山脉,犹如三条苍龙,蜿蜒盘踞于新疆辽阔大地的北部、中部和南部,这些著名的山脉构成了新疆地貌的基本骨架,控制着准噶尔、塔里木两大盆地的轮廓,制约、影响着新疆河流的发育、流向和气候的冷暖、干湿。

新疆的河流水系是大小绿洲的生命,也是新疆奇石特别是图纹石的孕育之地。新疆共有源于山区的河流300多条,除额尔齐斯河水系外均为内陆河,大多分布于新疆的西部。塔里木河是我国最长的一条内陆河,此外较著名的还有阿克苏河、叶尔羌河、和田河、伊犁河、额尔齐斯河以及开都河、孔雀河等,很多河流的

新疆具有丰富的奇石资源,许多地方的奇石还有待于开发。

水量都是从上游到下游逐渐递减，最后消失于荒漠之中。目前在这些河流中，除和田河、额尔齐斯河、玛纳斯河的图纹石得到开发外，其他河流中的奇石还没有引起人们的足够重视，其未来的开发前景广阔。

新疆的沙漠、戈壁总面积有 71.3 万平方千米，占全国沙漠、戈壁面积的 55.6%。其中沙漠面积有 42 万平方千米，占全国的 58.9%。我国面积在 1 万平方千米以上的十大沙漠中，新疆就占了三个，其中塔克拉玛干沙漠是我国最大的沙漠，也是世界上最大的流动沙漠。

新疆的戈壁主要集中分布于东部地区，其中在天山和库鲁克塔格广阔的山前平原，为洪积或洪积 — 冲积戈壁，又称为砾质荒漠；哈密以南的葛顺戈壁则为剥蚀戈壁，又称为石质荒漠，这里是新疆奇石的重要品种——新疆大漠石的主产区。

正是由于新疆雄伟的高山、湍急的河流、广袤的沙漠戈壁才为新疆奇石的蕴藏提供了可能。

特殊的地质和气候

远在几亿年前，新疆大部分地区还是汪洋大海，只有准噶尔和塔里木两块陆地高台高踞于波涛汹涌的海面上。随着古生代强烈的地壳运动，海水逐渐退去。到古生代末期海底大部分逐渐隆起而变成今天这样的雄伟山地。原有的塔里木、准噶尔两个稳定的陆台，反而变为群山包围的两大盆地。

在地壳运动造成的山地上升过程中，由于力量不够均衡，便在山中和山麓产生了许多陷落洼地，形成现在的一系列山间盆地和谷地。齐全的地层，复杂的构造，岩浆频繁地侵入，使新疆大地的各类岩石、矿物应有尽有，这是新疆奇石形成的重要内在原因。

位于新疆东部的葛顺戈壁（南湖戈壁）是新疆大漠石的主要产地。

新疆奇石形成的另一个重要原因，是新疆大漠石的形成是新疆独特的气候条件。

新疆深居内陆，远离海洋，高山环列，使得湿润的海洋气流难以进入，形成了极端干燥的大陆性气候。新疆气候最显著的特点是干，并且气温日差较大。因为干，太阳供给地面的热量，几乎全部用来加热大地和空气，而地面土壤又很干燥，无法蒸发降温，所以夏季白天温度偏高，到了夜晚，由于戈壁缺少保持热量的能力，地面冷却散热的速度特别快，温度迅速下降，形成昼夜温差特别大；因为干，地面植被相对稀疏，一起风就尘土飞扬，尤其是戈壁滩上时常风沙弥漫。冷空气入侵时容易出现大风，这又是新疆气候的一个特点。

吐哈盆地北部的"三十里风区"、"百里风区"是新疆著名的风区，全年 8 级以上大风日数超过 100 天。

发源于新疆众多山脉中的河流是新疆图纹石的重要孕育之地。

全疆其他地区的大风天气也很普遍。如果说新疆的河流是孕育新疆五彩图纹石的一个重要原因，那么干燥的气候和风沙天气，是大漠奇石形成的重要原因。大风吹起的沙子，像是一台巨大的抛光机，将石块打得千疮百孔，形成了千姿百态的戈壁瑰宝。

悠久的赏石文化

新疆古有"金玉之邦"的美称，有着历史悠久的赏石传统。

一个具有神秘色彩的传说发生在两千多年前，那位充满阳刚之气、英姿勃勃的周穆王，驾八骏，率大队人马，从五都宗周（今西安附近）出发，带着万里征尘，登上西域的昆仑山。在一个风光绚丽的湖泊边，与母系氏族的首领西王母相见，西王母赠周穆王以西域特有的七彩石，周穆王相赠丝绸，两人共叙友爱之情，尔后周穆王带着西域的珍奇异石而归……当然这个传说的真实性我们现在无法考证，但足以说明新疆的赏石文化是源远流长的。而谈到新疆的赏石文化，不能不说到对中国文化起到深远影响的新疆和田玉。

玉文化是中华民族所独有的传统优秀文化。中华民族是崇拜玉的民族，早在远古时期，玉便作为美好、神圣、贵重和祥瑞的珍宝受到人们的喜爱。而和田玉则以它那润泽、坚韧、致密、柔和而在众多的玉石中独领风骚，带动了中国玉文化的发展。早在新石器时代，昆仑山下的先民们就发现了和田玉，并通过"玉石之路"、"丝绸之路"源源不断地传入祖国内地及许多国家。在殷商时期，就形成了一个以和田玉为主体的玉器时代。以后，随着和田玉的大

量流入,于是玉的道德化、宗教化、政治化过程开始形成,并成为道德、权力、财富的象征。

儒家为了宣传他们的学说,用儒家道德观念比附于和田玉物理性能的各种特征,"君子比德于玉",有了多种玉德学说。在中国古代,宝和玉都是同义语。它是高贵、纯洁、友谊、吉祥、和平、美丽的象征。这正如《中国和田玉》中所说的那样:"自古以来有'黄金有价玉无价'之说,玉非常珍贵。国家之宝,皇室之珍,连城之璧,皇帝之玺,都是玉。"

几千年来,和田玉联络了新疆与内地各族人民的友谊,也是诸侯城下之盟和战争媾和的标记,更是民间广泛流传的信物。佩玉以求避邪除凶,食玉以求长生不老,服玉衣以求尸体不朽,总之,人们以玉为美,以玉为荣,以玉为贵……玉成为人们精神生活的一部分。

可以说在灿烂辉煌的中华文明史中,以和田玉为中心的玉文化,有着极为显要的地位和深远影响。和田玉不仅是中华民族的瑰宝,而且展现了光辉灿烂的中华玉文化和赏石文化。

在天山南北的草原绿洲、戈壁沙漠,面对大自然的奇山异石,新疆各族人民在历史长河中同祖国内地的人民一样崇玉赏石,无论在天山脚下的白石头草原,还是在塔里木边缘的戈壁上,流传下来了许多动人的故事和传说,这些都是新疆人民爱石崇石的体现。他们同和田玉文化一样,为我们新疆奇石文化今日的繁荣发展奠定了重要的文化、思想内涵和精神基础。

丰富的奇石资源

在新疆这片富饶而神秘的大地上,地层齐全,构造复杂,岩浆侵入频繁,各类岩石、矿物应有尽有,故有"岩石和矿物宝库"的美称。齐全的地层、岩石和矿物,特殊的自然地理环境和气候条件为各类奇石形成创造了十分有利的条件,新疆奇石品种之多、类型之全是其他

国家级风景名胜区——白石头草原上的一块白石头引起了人们的多少传说与遐想。

省区少有的。

新疆的三山都产宝,矿产资源相对丰富,阿尔泰山盛产黄金、云母、稀有金属和各种宝石;天山盛产铁、锰、煤和非金属矿产;昆仑山盛产宝石、玉石、水晶和有色金属。这些地方都是东西方所推荐的观赏石珍品——矿物晶体类观赏石的蕴藏地。例如在 20 世纪 90 年代初发现于阿尔泰山的水胆海蓝宝石晶体,曾引起了国内外的广泛关注。但这一时期的奇石开发,仅仅是一些观赏性较强、晶簇完整的水晶、海蓝宝石晶体、水胆玛瑙等,大量的矿物晶体被当作宝石和矿物被加工利用。

目前,已开发和发现的新疆奇石资源最富集的地区当属哈密南湖戈壁。特殊的地貌和气候,得天独厚的地理位置,丰富的奇石资源,使这一地区的奇石资源得以在全疆最早开发利用。特别是大漠石品种——哈密硅化木,以其丰富的造型和颜色,受到众多赏石爱好者的青睐,同广西大化石、内蒙戈壁石一起被国内奇石收藏者所推荐,成为了新疆奇石的主打品种。随后这一地区的风凌石、玛瑙、火山岩等石种也陆续被开发。

目前,位于吐哈盆地的哈密、鄯善不仅形成了全国有名的几大奇石专业市场,更因采石、贩石、配座、销售、运输等与奇石相关行业的兴

哈密南湖木化石遗址,图为 20 世纪 80 年代科研人员正在测量其范围。

起而形成了产业。

新疆的河流鹅卵石非常丰富,这些各种类型不同的岩石,经过几万年的流水冲刷,卵石间互相撞击磨擦,表面光滑如镜,显示了不同的图纹,形成了新疆独有的图纹石类奇石。目前,已经开发的主要有玛纳斯河的玛河石、额尔齐斯河的额河石等。近两年,随着人们对和田玉的再认识,人们用赏石的理念又开发出了和田玉奇石。

新疆地大物博,在占全国六分之一的大地上,沙漠戈壁、高山河流广泛分布,地质构造复杂,是奇石资源蕴藏的宝地。目前新疆奇石资

源开发利用的地区还占不到新疆总面积的一半，由于新疆奇石资源的开发利用历史较晚，还有许多有价值的奇石没有被人们发现，有许多奇石还等待人们去认识，去开发。

后来居上的奇石收藏热

丰富的奇石资源，悠久的赏石文化传统，是新疆奇石文化在当代得以进一步发扬光大的基础。"盛世收藏，乱世饥肠"，改革开放以来，随着新疆各族人民生活水平的提高、居住条件的改善，受沿海赏石热潮的影响，自20世纪90年代末开始的新疆奇石收藏热，近几年持续升温，已形成了一股不可阻挡的奇石收藏热潮，主要表现在：

一是奇石收藏爱好者人数的不断扩大，已从以前少数奇石收藏者发展到今日的广大群众积极参与。目前在城镇居民家中摆放几块天然奇石已属平常，"室无石不雅"已成为许多人的共识。据粗略统计，目前仅乌鲁木齐、哈密、鄯善等地的奇石爱好者就有近十万人。

二是奇石资源进一步开发利用，新的奇石资源被陆续发现。目前哈密南湖戈壁的硅化木、风凌石、玛瑙等大漠石得到了充分的开发。玛河石、额河石的收藏在当地形成了风气，和田玉奇石等奇石资源被人们进一步认识和了解。

三是奇石市场相继建成。哈密、鄯善等地已形成了专业的奇石市场，乌鲁木齐已成为新疆奇石的重要集散地。2003年，这三大新疆奇石主要市场销售额达到了3000多万元，从业人员达到5000多人。

四是成立了各级观赏石协会。随着奇石收藏队伍的不断扩大，2001年以来，新疆观赏石协会及哈密、阿勒泰、石河子、鄯善等各级观赏

新疆国际大巴扎不仅是新疆最具特色的旅游、购物之地，还是目前新疆最大的奇石市场。

石协会先后成立,并举办了各类奇石展,召开了石文化研讨会,进一步促进了赏石文化的发展。

五是随着奇石精品价格不断上扬,进一步吸引了一些人的收藏投资热情,奇石收藏已从最初的美化居室、馈赠发展到目前的以保值增值和投资为主要目的的转变。

六是新疆奇石得到了国内外赏石界和奇石爱好者的广泛认可。新疆已成为和广西、内蒙古、山东等省区一样重要的奇石产地。以哈密硅化木为主的新疆大漠石已进入内地奇石市场,得到了国内外奇石收藏者的青睐。

惊现于哈密南湖大峡谷的 UFO 状巨型奇石,引起了国内外飞碟爱好者的广泛关注。由于戈壁风沙的日益侵蚀,此景观目前正在逐步消失。

奇石及新疆
奇石概述

　　虽然中国的赏石文化历史悠久，但时至今日，还没有建立起一套完整的奇石理论体系，一些最基本的概念还仍在争论之中。

　　例如：奇石的称谓问题、传统赏石观与现代赏石观、奇石鉴赏与评比的标准、奇石是否是艺术品等一系列问题，可以说是百花齐放、百家争鸣，都提出了自己的观点，并拿出了充分的理由和证据。

　　实践证明，真理是愈辩愈明，相信随着鉴赏奇石实践和理论的进一步发展，一些基本的问题会得到科学、合理地解决。

　　新疆奇石资源虽然丰富，收藏人数众多，但目前新疆的奇石理论研究还远落后于赏石活动，这种奇石理论上的欠缺不仅与新疆目前的奇石收藏热不符，长此以往更会对新疆奇石文化的进一步发展不利。

　　宁夏和广西的石文化由于早期一批地质工作者的撰文介绍，后期一大批文化艺术和理论工作者的参与，报刊等媒体的广泛宣传，频繁地举办国际或国内大型奇石展览（节），确定了其在中国石界的地位。宁夏人凭借邻近内蒙古的优势，将内蒙戈壁石推向了国内外市场。广西——特别是柳州更是利用自己得天独厚的奇石资源，借助于《石道》、《赏石文化》等本地和全国公开性的刊物广泛地宣传本地石种，以其石种为主确定的赏石标准、评鉴原则甚至影响

着全国石文化的发展，才使得广西大化、内蒙葡萄玛瑙确定了在当今中国石界的地位，从而产生了巨大的经济和社会效益。

　　笔者认为，目前新疆赏石文化只是一种资源型的群众性参与活动，其在内地奇石市场也只是靠丰富的奇石资源来得到赏石爱好者的认可，而不是一种文化增值型的活动。新疆奇石的价值虽然和它们不相上下，但在国内市场上所体现出来的价格却远远低于价值，这不能不引起我们新疆人深思。

　　本书也仅对新疆奇石文化的渊源，新疆奇石的概念、分类和形成，主要奇石品种、产地、市场以及新疆奇石鉴赏谈一些粗浅的看法，从而让更多的有识之士进行更深入的研究。

　　需要说明的是：本书的内容主要是作者长期收集新疆奇石的实践和到全疆各地的调查了解中得来的，其奇石分类、石种及产地的名称主要以大部分赏石人士认可的观点或以新疆奇石爱好者、经营者、收藏者的通俗称谓为依据。

奇石定义及称谓

　　在自然界，并不是所有的石头都能称之为奇石，奇石之所以被人们用来收藏、观赏和交易，有其自身的一些特性。目前在许多赏石专著中，对奇石（或是观赏石）的定义是：自然形成的具有审美价值和收藏价值的石头，即人们常

说的天然性、艺术性、稀有性和奇特性。

奇石的称谓，这恐怕是每个赏石者首先遇到的一个问题，也是近年来赏石界一直争论不休的一个问题。

对奇石的称谓，当前与奇石并用的名称40多个，比较流行的有：观赏石、雅石、赏石、巧石、美石、供石、禅石、赏玩石、寿石、水石、自然石、云根等十几种，在日本称奇石为水石，韩国称之为寿石。这些称谓既有历史上流传下来的，也有近年来新起的，有的甚至参考了港台及国外的叫法。在所有的这些称谓中，尤以"奇石"与"观赏石"两种称谓影响最大。

自古以来，"奇石"在古籍中使用的频率最高，而且这个称谓在现今大陆赏石界也基本得到认同，东南亚许多国家如印尼、泰国、马来西亚、新加坡也多用这个称呼。"奇石"这个称谓目前在一些报刊杂志、书籍和石展协会中得到了广泛应用。

一个"奇"字道出了"奇异、异常、特殊、罕见、稀有、难求、巧妙、神秘、秘密、出人意料、变幻莫测"等含义。而更重要的是：一个"奇"字道出了奇石观赏价值的核心所在以及奇石与其他观赏物的根本区别。

本书主要介绍产于新疆境内供室内观赏的自然石，结合新疆自然文化的神秘和多样性特点，也就选用"新疆奇石"这个词作为书名，作为对新疆境内所产各类奇石的统称。

奇石的分类

奇石分类是奇石鉴定、欣赏和收藏的重要内容，也是对奇石进行具体赏析的基础，并直接关系到奇石鉴赏的各个主要环节。

对奇石收藏者来说，奇石分类有利于其进行系统地收藏、研究和陈列；对奇石经营者来说有利于其经营和市场开发；对奇石产地的政府部门来说有利于借助品牌奇石进行宣传，扩大知名度，推动当地奇石文化发展和市场繁荣，其重要性是显而易见的。

中国的奇石文化历史悠久，宋代杜绾所著《云林石谱》等专著的出现也已有上千年的历史。据不完全统计，我国已开发出的奇石品种有300多种，各地潜在的奇石资源尚待开发。

无论从科学研究角度，还是从欣赏角度，都需要对其进行归类，从中找出共性。

目前国内普遍的分类方法，主要有以下几种：

1.从奇石生成、采集、分布地点和区域来分，可以分为山石、景观石、河石和海石四大类。

天然戈壁巨石是戈壁滩上的一大自然景观。

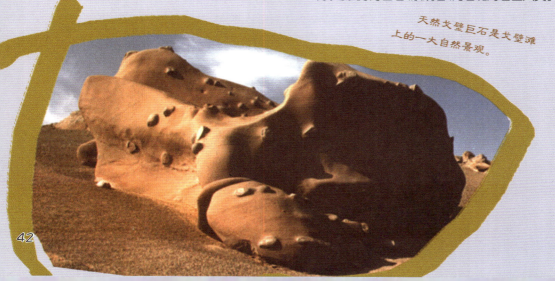

42

2.从观赏特点来看，根据不同奇石的观赏特点，可将其分为造型石、彩石、矿物晶体、化石等几大类。

3.依体量大小及陈列的特点来看，分居室供石、名胜奇石、园林峰石三种。

4.依据石态所呈现的主题，对其归类，以便从中找出一些带有普遍性的评判标准，这又分为：象形（具象）、抽象（意象）和景观（景象）三大类。

新疆奇石分类

奇石分类的一般原则是：排除一切非奇石的石品，不将其划归任何一个种类；包含所有的奇石，即每一个奇石都能归属于一个划分的种类；反映出奇石的基本特征相同，而不同类的奇石之间其基本特征应有显著的区别；具有完整的系统性，必须脉络分明、层次清楚；类别的名称含义明确，简单易懂，无歧义；类别划分有利于鉴赏、收藏、交流、交易等活动的进行；有自己独特的分类体系特征，不与其他观赏品分类体系相混同。

本书依据奇石分类的方法，结合分类的一般原则，将新疆奇石品种分为五大类：大漠石、图纹石、矿物晶体、化石、其他。

1.大漠石：指生成、分布在荒漠戈壁地区，有些经风沙长期研磨、吹砺而形成的奇石。一般裸露于地表，或半埋半露，总体特点为以外型造型美取胜。代表奇石有：滩面木化石、戈壁石、风凌石、玛瑙、泥石等。

2.图纹石：指多产于河川溪流的卵石类奇石，以石头的图案、纹饰、色彩为主观赏的奇石。总体特点为以图纹美取胜。代表奇石有：玛河石、额河石、和田玉奇石等。

3.矿物晶体：那些发育良好、自形程度高、保护好的高中低档宝石或珍稀晶体以及一般造岩矿物晶体，包括单晶、聚晶、晶簇及托生围岩都可以归入矿物晶体类。代表奇石有：水晶晶簇、透明石膏晶体、电气石晶体、绿柱石晶体以及自然金、自然银和自然铜等。

4.化石：指各个地质时代埋藏于地下的动物或植物，在地层成岩过程中这些动植物被矿化，但仍保持其原形的生物遗体。代表奇石有：埋藏于地层中的木化石、珊瑚化石、贝壳化石和其他动植物化石等。

5.其他：主要指一些陨石、纪念石等。

大漠石的称谓

大漠石是新疆特有的奇石种类，也是新疆奇石的主要种类，更是新疆奇石市场的主力。目前，在新疆奇石市场上80%以上都是大漠石。近几年，新疆奇石之所以在内地石展中频频获奖，在内地赏石界及市场中获得青睐，主要是因为以哈密木化石为主的大漠石的原因。因此，明确这个种类的名称和概念的外延，分析其形成的原因和特点很有必要，有利于新疆奇石在全国进一步提高声誉，形成品牌。

大漠石这个概念虽然是本书第一次作为新疆奇石的一个种类提出来，但大漠石这一名称早已有之。

其一，早在1999年，新疆的石友就决定将新疆所产戈壁类奇石统称为新疆大漠石，在国内和新疆本地一些作者的文章中也有这一说法。

其二，2002年新疆人民出版社出版的《新疆大漠奇石》大型奇石画册，也选用了"大漠奇石"的名称，同时鄯善县也将本地奇石协会命名为大漠奇石协会，以体现当地特色。

节假日到野外采石探石，不仅亲近自然、锻炼身体，也是许多人的业余爱好。

其三，2004年南宁国际奇石擂台赛和第四届柳州国际奇石节前夕，笔者应参赛石友的邀请在为新疆参展团撰写序言时，也应广大石友的要求写了题为《新疆大漠石》的文章。

目前，在新疆大漠石名称上，还有两点需要明确：

一是新疆大漠石和新疆奇石是两个不同的概念，新疆大漠石的外延涵盖不了新疆奇石，它只是新疆奇石的一个种类。新疆奇石种类中还有新疆图纹石、新疆矿物晶体和化石。新疆大漠石仅指产于新疆戈壁沙漠中的奇石。

二是大漠石和戈壁石的名称问题。近两三年来，以内蒙葡萄玛瑙为主打品种的内蒙戈壁石，由于政府的大力支持和宣传，在国内外赏石界声名鹊起，一些人将新疆沙漠戈壁所产的奇石也称为戈壁石。殊不知，在新疆大漠石的主要出产地哈密和鄯善，戈壁石是指除木化石、风凌石、玛瑙等大漠石之外的碧玉等戈壁杂石，如果有谁将木化石、风凌石等统称为戈壁石，只会被认为是不懂石了。

风凌石名称考

风凌石是一种岩石类观赏石。它是新疆大漠石中的一个品种，而不是一个种类。风凌石主要出产于哈密马蹄山、彩霞山、沙垄以及鄯善卧龙岗和罗布泊等一带，以哈密马蹄山的最为珍贵。近一两年，在甘肃酒泉靠近哈密的马鬃山一带也有发现。

在国内赏石界，目前风凌石的名称比较混乱，学名、俗名以及一些人自造的名称共有十几种，综合起来主要有风凌石、风棱石、风砺石、风成石、戈壁石、狂飚石、大漠石、鸡骨石、千层石、风化石、怪石、瀚海石等。在这些名称中以"风棱石、风凌石、风砺石"三种最为常见，并时常见于报刊中。一个石种多种名称，不仅给奇石爱好者造成混乱，而且使局外人感到迷惑，认为是几个石种，长此以往不利于新疆奇石事业的健康发展。

"风棱石"一词最早是由袁奎莱教授于1994年在其编著的《中国观赏石》一书中提出的，他借用地质学中的专用名词风棱石命名戈壁滩上所产的奇石。据《动力地质学原理》一书中阐述："戈壁滩上的冲积 — 洪积砾石，在经受长时间的风蚀作用后，变成棱角明显的、表面光滑的风棱石。视棱的多少，有单棱、三棱石和多棱石之分。"根据这种解释，新疆戈壁中所产的风凌石根本就不是这种概念，新疆石友特别是哈密石友将这种棱角分明的奇石称为戈壁石，它是一种抽象类奇石，与新疆具备"丑、漏、透、瘦、皱"传统赏石观的风凌石涵义相去甚远。

"风砺石"这一命名是20世纪80年代末，由宁夏孟昭贤先生提出。孟先生曾在《奇石文化研究》中发表了一篇题为《浅谈风砺石》的文章，就风砺石形成的原因、特征、类型和赏析等几个方面给予了阐述，可以说这篇文章对西北的赏石文化起到了很大的作用，让国内外的奇石爱好者都认识了解了西北的戈壁类奇石。

风砺石这个命名虽然从字义上理解比较符合风凌石的特征，但存在两个问题：一是孟老先生当初是以内蒙、宁夏戈壁的奇石为依据，其所指的风砺石是对戈壁类奇石的统称，即现今内蒙戈壁石。二是其最大的缺点是音不达意。查《现代汉语词典》，"砺"字只有"li"一种读音，而且这个字也和"凌"字不通假。实际情况是在新疆，还没有听说哪个石友和石商称风凌石为风砺石的。

笔者查阅《现代汉语词典》，"凌"字不仅与石友们称谓此石的音相同，也比较符合风凌石的特征。其意有"凌空、凌厉、凌乱、凌云"等几种意思。另外，"凌"与"淩"为异体字，皆有"侵犯"之意，"淩"为用水侵犯，即"冲刷"等义，而用风去"侵犯"石头，不就成了"风凌石"了吗？而且这个词近几年也见诸新疆的一些报刊中。例如《新疆日报》近几年对"风凌石"的新闻报道中，就用这个"凌"字。在2004年2月3日第十版的《新疆奇石亦可人》一文中，就使用了"风凌石"一词来介绍哈密、鄯善的石头。

鉴于上述原因，笔者建议将哈密、鄯善等地戈壁中所产的这类岩石类造型石统称为"风凌石"。

奇台将军戈壁木化石遗址

新疆大漠石
的形成原因

关于沙漠戈壁地区所产岩石类造型石的成因，国内一些专家学者曾发表过一些文章，提出了一些观点。目前在国内影响比较大的有两种观点。

第一种观点认为，这类奇石的成因主要是以风作为动力，以沙粒为天然磨料，长期在戈壁吹打和磨砺而成。持这种观点的主要以宁夏的孟昭贤先生为主，他在 20 世纪 90 年代洛阳主办的《赏石文化研究》上发表的《浅谈风砺石》一文中，介绍了风砺石形成的原因。

第二种观点认为这类奇石的形成主要是由于地球内力（地壳运动、岩浆活动）与外力联合作用的结果，其最后阶段的风沙磨砺作用，仅是对石矶的美化，此前奇石的形、质、色、纹早已基本形成。持这种观点的以宁夏闫志强先生为主，他曾在由广西主办的《赏石文化》杂志中以《戈壁奇石的形成与称谓》为题提出了观点。他将戈壁奇石的形成分成三阶段，简要介绍如下：

1. 原岩形成阶段：火山喷发产生火山熔岩，熔岩的气孔、空洞、裂缝被硅质矿液充填，形成玛瑙、碧玉、石髓的团块和脉体。火山喷出的硅质溶液，在湖泊的泥质沉积岩中形成蛋白石团块。泥砂质沉积岩在硬结成岩过程中可产生砂钙质结核。这些团块、脉体和结核，便是原岩。它

越是地形复杂、风沙强劲的戈壁区域，就越是新疆大漠石的蕴藏之地。

们已铸就了此类戈壁奇石雏形。

2.风化搬迁阶段：形成戈壁奇石的各类原岩，由于地壳运动暴露于地表，接受漫长而强烈的风化破碎，并被流水搬动到数十至数百千米外沉积下来，只有少部分残留在原地，或发生几千米的近距离迁移。许多硅质戈壁奇石的凹坑和孔洞处，原有软软的高岭土、重晶石、方解石或其他粘土矿物充填物，它们通常被水冲刷、溶蚀殆尽。被水搬运过程中，奇石外形会遭受明显地改造，特别是被破碎及棱角的磨圆。当本阶段结束时，戈壁奇石的大形已定。

3.风沙吹磨阶段：远古形成的冲积、洪积滩地的表面，泥沙等细粒物质被大风吹走，留下的便是遍地石块的茫茫戈壁。混杂于石块中的那些奇石，在此恶劣的环境中，经受数千年的风沙吹蚀与磨砺。这个阶段相对戈壁奇石的整个形成过程来说，是很短暂的，仅占其形成过程的万分之一到几万分之一。风沙的吹磨固然猛烈，但并不能改变奇石的大形，只能使奇石细小的棱角圆化，表面抛光，形成古黄的石皮。

虽然以上这两种观点对沙漠戈壁地区所产的岩石类造型石称谓不同，而且其概念的外延所包含石种有些差异，但基本上和新疆大漠石包含的石种相同。目前在对新疆大漠石的形成原因上，许多报刊和文章都采用了以上观点。

笔者认为，在分析和研究新疆大漠石的成因上，这两种观点都有一定的道理，但对大漠石中的不同石种，还要具体情况具体分析。首先，以上

泥石原岩由于没有经过风沙打磨，不具备奇石鉴赏标准，因而不能称之为奇石。

两种以孟、闫二位先辈为代表的观点，主要是根据内蒙古地区戈壁类奇石研究得出的结论，新疆地区有它自身的地质、气候特点。其次，以上两种观点所代表的石种主要是以内蒙所产的玛瑙为主，而新疆地区主要以木化石为主。第三，是关于奇石的界定问题，什么样的石头才是奇石，以什么为标准的问题。笔者根据近几年对新疆大漠石产地的实地考察，谈一些粗浅的看法。

任何事物的产生、发展都有其内因和外因。内因决定外因，外因只对内因起一定的作用。以上两种观点，一种以风化搬运和风沙吹磨作为内因，另一种以原岩形成作为内因，而将风化搬运和风沙吹磨作为外因。

新疆大漠石作为一个由几十个品种构成的种类，应视每个石种生成情况，确定不同的内因和外因，不能只强调原岩生成或风化搬运。笔者认为新疆大漠奇石的形成可分为两种情况。

第一种是以原岩形成为主，风化搬运和风沙吹磨等外因作用为辅而形成的奇石，这类奇石主要以新疆风凌石、玛瑙、蛋白石等为主。具体情况闫先生观点已阐述，不再说明。

第二种是经风化搬运和风沙吹磨等为内因而形成的奇石。这类奇石主要以大漠石中的泥石、羊肝石以及戈壁中的一些棱角分明、在新疆将其称为戈壁石的奇石为主。这类石头由于其本身原岩的原因，造型和质地都不是特别完美，只有靠后天的风化搬运和风沙吹磨才能形成。

为进一步说明，以哈密南湖戈壁所出产的羊肝石、泥石和彩石为例，在这些原生矿中，笔者认为只有那些经风化破碎并经风沙吹磨、表面光滑、具备一些造型的

利用农闲到大漠戈壁中去探石、采石是哈密、鄯善等地一些农民增收的主要手段。

石头才能被认为是奇石，从而被人采拾而去。原生矿床中的那些原岩，虽然和采捡而去的石头颜色、质地一样，但仍然被弃在那里，有些经打磨加工出一些造型才能利用，当然这就不是奇石了，而是一种工艺石，目前在哈密、鄯善市场上也能看到这种被加工打磨过的石头。

在这两种成因中，笔者想谈谈新疆木化石，特别是以哈密南湖戈壁奇石为代表的硅化木，它的一些情况也许更能说明这种问题。

哈密南湖一带的硅化木，特别是一些被称为老货的木化石，主要分布在哈密南湖煤矿一带的戈壁中，这里有一个很大的特点就是沙子特别多。有经验的探石者都掌握了这样一条经验，只有戈壁而没有沙子，一般其出产的石头造型变化不大，但仅有沙子没有戈壁上的原岩出露也不行，新疆好的大漠石是出产在既有沙子，沙子又能让矿脉露出的地方，那里的石头才是最好的。哈密南湖、沙尔湖都证明了这样一个道理，这也是为什么本书对新疆戈壁出产的奇石统称为大漠石的一个原因。

笔者认为哈密南湖木化石所以能闻名全国，受到广大石友的青睐，当然有其质地、颜色符合现代赏石标准的原因，但更重要的是由于其造型独特。由于这里风沙比较大，是哈密有名的风区，狂风将细小的沙子吹起来，就像一台巨大的抛光机，将石头表面打磨吹砺成一定的造型，而且这里的硅化木有一个特点，越是硅质成分高、硬度高的硅化木造型就越简单、精品也就越少，而硅质少的由于其硬度低、被打磨成型的也越多，其造型变化比较大；而那些埋藏在地层中的木化石，由于没有经过风沙的吹打研磨，一般都保存了其原始形态，虽然也可称之为奇石，但质、形、色、纹就差一些，化石属性强一些。

本书在新疆奇石分类中，将新疆戈壁滩上表面经风沙磨砺的木化石列入到了大漠石类中，而将埋藏在地层中没有经过风沙研磨的木化石列入到化石类中，正是笔者这样分类的原因。

木化石的形成

　　木化石的发现和作为观赏物的历史悠久，但人们对它的了解还很局限。看到色彩斑斓、造型各异的木化石以及部分木化石上清晰的年轮、树结、孔洞以及树杈等，人们常常会问：柔软的树木为什么变成了坚硬的石头？

　　木化石，顾名思义即地质时期的树木变成了化石，成为石头保存了下来。木化石在我国的分布范围很广，但尤以新疆分布最广最集中，且品种繁多。在中生代从晚三叠纪到晚白垩纪都有，距今约 6500 万年至 2.45 亿年，主要以距今 1.5 亿年的侏罗纪时期为主，是松柏、苏铁、银杏、真蕨、种子蕨等 15 种以上植物的遗骸。

　　地质研究告诉我们，地球已有 40 多亿年的历史，地球上的生物从简单到复杂、从低级到高级发展经历了数十亿年。人类只是在近一二百年中才开始认识地球并利用它提供给我们的各种资源，其中最重要的资源之一就是煤。煤是古代植物变成的，木化石也是植物变成的，为什么二者不相同呢？树木怎样才能变成石头？它需要的条件与成煤条件既有相同之处，也有不同的地方。

　　首先，树木必须在水中，其次，其上要有泥土沙石盖住。但是这里的水可不是普通的河水或者湖水，而必须是含有浓度很高的可溶性矿物质水，这些矿物质随着水一同进入树干，而后沉淀在树木的内部组织上。当树木的有机组织被氧化腐烂后，这些矿物质就代替了有机物而使树木保存了原有的结构特点。

　　含有这些高浓度矿物质的水是与火山活动有关的热水，只有在这种来自地球内部的高温热水中才可能溶解很多矿物质。这种水里常常含有大量可溶性的二氧化硅，它们进入树木体内，在树木没有腐烂前充填、交代和沉积在木质部的内部结构上，所以，木化石也常被称为硅化木。

　　这就表明，木化石的形成与地球上的火山活动有密切关系，只有具备了这种条件的地区才有可能出现木化石。

　　反过来说，能找到木化石的地方也常常会有火山活动的痕迹。

　　综上所述，按照地壳突变活动理论，木化石

发现于伊吾前山 3.5 亿年左右的鳞木化石，是新疆最古老的树种化石之一。

49

的形成条件必须是：一为树木迅速掩埋；二为含有硅、铁、钙等低温溶液侵蚀；三为树木、木炭具有独特的吸附功能。木化石成因与火山活动关系密切，早期火山灰喷出沉降，迅速掩埋森林，经高温的烘烤，树木水分丧失，活化了吸附功能，火山晚期低温热液为木变石提供了物质转换的有利条件。

由于这些树木并不是立即就能倒落在水中，常常要经过不同距离的搬运才能进入水底，所以在搬运过程中，树体上的枝叶以及树皮等都会被磨损掉，能保存成化石的树木只能是树木中很少的一部分，所以，它的大小、粗细和外部形态等，即使长在同一棵树上也不可能完全相同。

同时，木化石的颜色和石质也因水中矿物质的不同而有所不同，木化石暴露出地表以后又会受到风吹日晒雨淋等各种外动力的作用和影响，形成新的特点。例如，在干燥多风的环境中，它们会形成美丽的光泽，美国西部的黄石公园和哈密南湖的硅化木就是因为风吹日晒、风沙磨砺而表面光滑，颜色鲜艳美丽，外观像玛瑙一样。

虽然木化石的成分以硅质为主，硬度很大，但其硬度和颜色也常与水中所含有的矿物质有关。当水中含有不同的矿物质时，不仅化石的颜色不同，而且硬度也不完全一样。例如含铁锰质较多时，颜色发黑；含氧化铁较多时，颜色发红。含铜质时呈蓝色或绿色；如果含有较多的钙质时，它的颜色会黄些，硬度也会较低。

图为位于中蒙边境的伊吾淖毛湖木化石遗址。目前像这样裸露在地面的木化石已荡然无存。

新疆奇石的主要品种

新疆具有十分丰富的奇石资源，由于开发历史短、普及程度不够等原因，奇石收藏仅局限在东疆、北疆等部分交通、经济比较发达的地区。目前已经开发出来的奇石品种有 100 多种，还具有十分广阔的开发前景。

已开发的这些奇石品种，受到新疆本地及国内外奇石爱好者的青睐，具有一定的知名度和普及性。本书从中选择了五个品种给予重点介绍，可以说它们是新疆奇石的"五大名石"。这五个主要品种都具有以下特点：

一是知名度高。不仅被新疆奇石爱好者所熟知，而且在国内各大石展中频频亮相，同时也被一些报刊宣传报道，介绍、收录进各种奇石画册和书刊中。

二是资源蕴藏量大，收藏人数较多，不断地发现新的种类和产地，维持时间长。

三是各地奇石市场的主要销售品种，例如木化石主要在哈密，风凌石主要在鄯善，和田玉奇石在和田，而乌鲁木齐是目前全疆最大的奇石集散地。

四是开发时间较早，各石种中的一些精品、绝品，提升了整个品种的收藏价值。

润泽神奇的木化石

新疆木化石主要分布在哈密南湖戈壁、沙尔湖，伊吾淖毛湖、奇台将军戈壁，阿勒泰、克拉玛依、巴里坤等地也有零星发现。

木化石一般按其形成时矿物交代的成分分为硅化木、钙化木、铁化木等，哈密还发现了一种被石友们俗称为"炭化木"的木化石；在新疆木化石主产地哈密还有老货、新货之分，老货指产于哈密南湖煤矿一带的被风沙吹砺打磨的各种硅化木。

木化石颜色丰富，白、红、黄、黑、棕、褐等各种颜色一般都具有，红色、黑色、棕色比较常见，黄色较少，白色一般见于硅化木中，铁化木颜色以褐色为主。木化石中以硅化木硬度最高，以色泽艳丽、晶莹透明的玛瑙质硅化木为贵，特别是产于哈密十三间房以南沙尔湖红山的硅化木有些达到了宝石级；铁化木、钙化木次之。由于本书其他篇章专门对木化石的产地及鉴赏作了详细介绍，此处从略。

风凌石

多姿多彩的风凌石

新疆风凌石主要分布在哈密马蹄山、沙垄、彩霞山，鄯善卧龙岗和罗布泊一带，近年在克拉玛依也有发现。风凌石的出产地中尤以哈密马蹄山所出的颜色比较纯正，造型变化大。一些风凌石在自然作用下透明、半透明的白色硅质上包有一层天然包浆，形成了古朴、典雅的风格。由于开采历史较长，2001年该出产地资源就已枯竭。

风凌石为距今8亿年前的震旦纪硅质岩、硅质灰岩、硅质泥砂岩等，摩氏硬度为6~7度。以硅质为主的石件，呈半透明状，击之有声，其质地可与碧玉质、玛瑙质媲美。风凌石的颜色比较丰富，具备各种颜色，黄色风凌石主要出产自鄯善卧龙岗。石品常见的色有灰白色、灰黑色、紫红色、肉红色等。

风凌石的造型在新疆奇石中是最为丰富的一个品种，其造型变化比较大，一般都具备传统赏石观的"丑、漏、透、瘦、皱"的标准。结构有细条状、团块状、互层状或不规则的细纹理状等。

风凌石有的似景，有的似物。似景者有雄伟壮观的群峰，有白雪皑皑的冰峰奇景，常以灰黑色的石质构成山体，以白色覆盖在绵延的山顶或点缀在山坡上，也有的似古堡、石窟、石花等石品；似物者，静态、动态的飞禽走兽，如待飞的鹰及海马、龟等无所不有；人物如仕女、士大夫

等形象。风凌石的微观结构绝妙，表现在复杂多变、惟妙惟肖及对微细景观的雕凿，每件石品都是大自然的惟一作品，无一雷同。风凌石无论规格大小，或似景、似物，均可配一底座，无需任何加工即独自成景成型。

天然美玉和田玉奇石

和田古称于阗，是丝绸古道上的重镇。近年来，随着国内外赏石风潮的影响，一种以玉为载体的图案奇石被赏石人发掘出来，使这块以盛产美玉著称的古老土地，再一次受到中外藏石家的注目。

和田玉属世界软玉之王，由透闪石矿物组成，摩氏硬度在6.5~6.9之间，不同品种略有区别。按产状分为山料、山流水、仔玉，另外还有璞玉，按颜色分为白玉、青玉、墨玉、黄玉。仔玉一般是指原生矿经剥蚀被流水搬运到河流中的玉石，它分布于河床及两侧地阶中，裸露地表或者埋于地下，块度不大，常为卵形，表面因长期搬迁、冲刷、分选，所以仔玉一般质量较好。仔玉里常常有一些象形石和画面石，特别是画面石，往往线条简练，着墨不多，也有个别的似泼墨画，显得大气、活泼。璞玉是指蕴藏有玉之石，特别是它的外皮，按其成分和产状等特征，可分为色皮、糖皮、石皮三类。这些外皮往往构成多彩的

和田玉石巴扎上的仔玉和奇石

画面石。

和田玉奇石色彩丰富，在目前已发现的色彩中，赤、橙、黑、白、黄、蓝、紫、绿均有，在这些基本色彩中还有多姿多彩的过渡色，这些色彩一是来自玉石本身，二是玉石长期受水中的矿物质浸润所致。这些丰富的色彩在天然玉石上错落分布，构成了千姿百态的图案。画面意境之深邃、韵味之悠远亦堪称一绝。

和田玉奇石发端于古代，盛行于当代。公元119年，西汉的张骞在于阗一带登崇山峻岭而"穷源"，在天河边拾得几块玉质奇石献给汉武帝，令朝野上下叹为观止。

近现代，和田玉奇石也时有发现，我国著名社会活动家、已故全国人大常委会副委员长沈钧儒老先生收藏有世界五大洲名石千余枚，对其中的一枚和田玉奇石极为珍爱，如今这枚奇石已被中国革命历史博物馆珍藏。

由于客观原因，目前在全国奇石展览中，绝大多数奇石收藏者还见不到和田玉奇石的身影，但它的无穷魅力一旦展现出来，定会令世人大开眼界。

古朴雄浑的玛河石

玛河石因出产于玛纳斯河而得名。玛纳斯河发源于天山中部，流经玛纳斯县、石河子市、沙湾县和克拉玛依，全长456千米。玛纳斯河自古以产玉而闻名，《山海经·北山经》就有"潘侯之山其阳多玉"的记载。玛纳斯碧玉早已闻名，近几年，产于该河的玛河石更因其粗犷豪放、古朴凝重的品质而受到青睐，其中以石河子市出产的玛河石品质为最好。

玛河石是地质运动的产物。从天山地带地层发育来看，其岩类齐全，从元古界至中新生界均有出露。

6亿~2.5亿年前，这里还是汪洋大海，在后来的亿万年间，地壳发生剧烈变动，许多地方反复上升和下沉，沼泽湿地形成，加之印巴板块在此的多次俯冲碰撞等地质运动，造就了这里独有的复杂地貌。

300万年以来，天山抬升加速，在各种自然力作用下，天山表面的岩石经风化、震动、破碎形成粗石毛坯，再经过冰川、泥石流、山洪等的冲刷、搬运、磨砺，约在180万年前形成2300千米长的天山山脉卵石层带，后经十多万年沧桑巨变逐渐形成今日的上百条卵石河床。玛河奇石目前主要发现在天山卵石带的中部，沉积深度约30~160米。玛纳斯河在几十万年的流冲中将卵石层带第四纪冰期后的泥土层剥开，裸露出令藏石家喜爱的各类奇石。

从已采集到的样品看，玛河石以石英岩、角岩等变质岩和

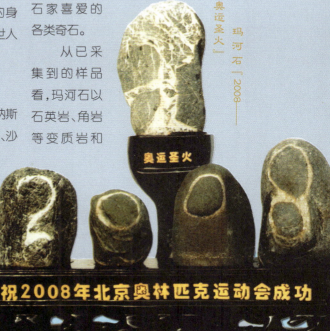

玛河石 [2008——奥运圣火]

奥运圣火

祝2008年北京奥林匹克运动会成功

岩浆岩为主,少数为沉积岩,主要种类有:

景观石:如石英细脉穿插在变质岩或沉积岩中,平行脉可形成叠层状山型石,垂直脉可形成瀑布石。

图案石:人物、动物、植物均可见到。

具象石:石体的形状像人物、动物、物品等,如骆驼、天鹅、桌、鞋等。

色彩石:为各种色调的颜色,绿色等较为艳丽,经河水磨砺可成为观赏石。

化石:玛纳斯河在西汉时称做"龙骨河",其流域的奇台县发现过恐龙化石以及龟鳖和其他动物化石。

玛河石同国内其他奇石相比,有其独特的石质特点和艺术价值。

其一,品种多样。如硅质岩、石灰岩、石英岩、方解石、鸡血石、化石等应有尽有。

其二,质地坚硬。摩氏硬度一般在5~7度,而含有大量有色金属的鸡血红高硅石可达8度。

其三,粗犷豪放。石体画面豁达奔放,气势恢弘,巍峨峻拔。

其四,古朴凝重,色彩含蓄,品质朴实无华。

质纹俱佳的额河石

阿尔泰山东段南麓,富蕴县北部海拔3500米的齐格尔台达坂是额尔齐斯河的发源地,它是我国惟一流入北冰洋的河流,当地哈萨克人称额尔齐斯河为"母亲河"。它风尘仆仆狂奔6000余里,养育着那么多的村镇、牧场,梳理着沙漠中的绿洲、草甸,在大山中喧腾、碰撞,跌宕出无数风景,最后冲进遥远的北冰洋。

额河石是额尔齐斯河养育的孩子。该河卵石色彩艳丽,纹理清晰,石质细腻坚硬,画面线条丰富,写意味浓,额河石以富蕴县所出产的为佳。

近几年,额河石被越来越多的人所关注。额尔齐斯河的河卵石在深圳、兰州、乌鲁木齐等地奇石展中屡获大奖,吸引了众多疆内外奇石爱好者前来观赏、探究。阿勒泰有着丰富的石头资源,有着众多的玩石爱好者,阿勒泰的额尔齐斯河石文化必定绽放异彩,也必将有着美好的前景。

额河石不如雨花石清晰明丽,但它集中体现了额河奇石经历千百万年岁月洗礼的久远与深沉,不少额河石以展示大漠孤烟的苍茫空旷、长河落日的辽远雄奇、群峰秀丽的烟雨迷蒙、老梅劲松的铮铮铁骨和漫天大雪的扑朔迷离而见长,每幅画面都传神、含蓄、幽远,给观赏者以丰富的想像力,得到"妙在似与不似之间"的神韵。这些妙趣天成的石头一石一物、一石一景,受到广大奇石爱好者的青睐。

额河石"2008中国印"

安置于新疆地矿博物馆楼前的这块新疆铁陨石，是世界第三、中国第一大陨石。

其他奇石品种

新疆地大物博，地层齐全，构造复杂，有岩石和矿物宝库之称。实践证明新疆的奇石品种之多、类型之全是其他地区少有的，但由于开发利用的时间较晚，还有许多有价值的奇石尚未被人们认识和发现。

本书之所以将这些品种称之为新疆奇石的其他品种，并不是说这些品种的收藏价值不高，主要是这些品种的资源蕴藏量比较少，在新疆奇石市场中所占的份额很少，还占不到整个奇石市场销售份额的 20%。这些品种有些在市场上销售得比较快，有些因发现的较少而在市场上见不到，有些不是被发现者自己收藏，就是被收藏者或石商买走垄断，市场上一般很少见到。

大漠石新品种

这类奇石主要是指近几年在新疆沙漠戈壁地区发现的除木化石、风凌石、玛瑙等大漠石之外的奇石。产地以位于吐哈盆地的大南湖戈壁为主，在克拉玛依、阿勒泰等地也有发现。这些奇石有些以前就有发现但没有引起重视，有些是近几年才被一些探石者开发出来，所以它们的名称也是被一些奇石爱好者根据颜色、质地而起的，以后被广泛认同而约定俗成。主要有鄯善县发现的彩石、果子化石以及哈密发现的泥石等。这类新开发的大漠石品种由于蕴藏量相对较少，还没有被广泛熟知。

彩石：也称彩玉，出产于鄯善县南部戈壁，具色泽鲜红纹带，在白色硅质岩体上有红、黄等颜色，其作为奇石来讲有两种形态：一种是以风砺程度高、颜色鲜艳的造型石为主，另一种以其颜色构成图案为主。开发有 5 年之久，目前表层矿床已枯竭。常被加工成工艺品，冒充鸡血石。

羊肝石：主要发现于哈密、鄯善一带，以风砺程度高、颜色鲜艳者为上品，市场上常将其冒充为鸡血石。

鸡骨石：主要发现于玛瑙石产地附近，属于造型石。

沙漠珍珠：出产于沙尔湖，主要特征为在深棕色沉积岩体上分布有拇指、黄豆大小的红、白、黄等玛瑙，一般风砺程度比较高。

砂碛岩：为泥沙沉积物，因戈壁风沙的风砺

而成，一般硬度较低，造型优美者可归入奇石类。

千层石：呈明显多层次积叠式的玩石。由于各层的硬度、韧度及构造不同，经风化或风沙长期研磨风砺而形成，各层次多有不同程度的缺损，形成景象。千层石以其纹理统一的层次感和整体的象形感具有观赏价值。

戈壁玉：出产在鄯善县南戈壁，大多为圆形、椭圆形，颜色多为黄色。

豆瓣玉：在棕黄、绿色岩体上分布着大豆般大小的石砾，造型简单。

土古玉：其特征类似于风凌石，但以硅质板岩为主。

果子化石：2001年发现于沙尔湖。块体较小者可见同心圆状纹路，且和硅质岩石胶结在一起，状如植物果实，故鄯善人将它起名果子化石，其是否就是果子化石还有待于专家进一步考证。

泥石：1999年发现于哈密南湖煤矿附近，因其质地细腻、似淤泥沉积而成，故哈密人起名泥石，颜色主要有棕色、绿色，或棕、绿色相交而成。近年在鄯善县又发现了一种黄色泥石，但石矿不及哈密泥石，有些石矿上有黑色附着物，用盐酸清洗后鲜黄明亮，须仔细辨认。

在这些新品种中，笔者想主要介绍一下果子化石和泥石，这两个新开发出来的品种不仅在新疆受到广大奇石爱好者的青睐，价格被炒得比较高，而且在内地也享有盛名。这两种大漠石新品种之所以能在新疆新开发出的奇石中脱颖而出，笔者认为主要是其自身的品质符合了目前赏石界"质、形、色、纹"的现代（或时尚）赏石观。

这两个新品种中，泥石的造型比较简单，但石矿质感好，是一种极佳的抽象石类观赏

石；果子化石由于其高硅质、颜色鲜艳而引人注目。笔者在此打一个比喻，观赏泥石的感觉就好像是广西的大化石，而果子化石更接近于内蒙的葡萄玛瑙，而这两种奇石目前正是国内炙手可热的"绩优股"。

玛瑙石

玛瑙是一种具有同心缟状或平行条带状结构的玉髓，其化学成分为二氧化硅。它的图案花纹是由不同颜色的层、带、条或纹相间叠积形成的，美丽动人。人们给予玛瑙各种形象名称，如缠丝玛瑙、缟玛瑙、苔纹玛瑙、竹叶玛瑙等品种，以玛瑙内有较大的肉眼可见的水液包裹体的水胆玛瑙最为珍贵。

玛瑙

我国是世界上最早发现和利用玛瑙石的国家。据考古资料记载，早在旧石器时代，在现江苏溧阳地区生存的猿人已用玛瑙石制作尖状器。南京北阴阳营遗址中，出土有新石器时代的玛瑙石、松石、玉器等装饰品。从夏、商、周一直延伸至今，玛瑙仍然是宝玉石的一种重要原料。古代由于科技水平所限，曾将玛瑙归入"文石"、"纹石"类。现代地质学家研究后认为玛瑙是具纹带构造隐晶质的硅质岩石。

新疆地广人稀，玛瑙石分布广，但开发利用较晚。其中伊吾县淖毛湖一带的玛瑙石矿较著名，玛瑙产在蚀变的杏仁状安山岩、火山角

玛瑙水晶

砾岩破碎带内，矿体呈近东西向或北西向展开，长约300~500米，个别矿体断续长达两千米，宽100~200米不等，呈似层状或不规则状，矿体中玛瑙石分布极不均匀。另外中生代砾岩中，分布有红、黄、灰、黑等多种色彩的玛瑙，矿体长500~2000米不等，宽30~50米，玛瑙石在底部集中，块度也大。新生代洪积层中也见有玛瑙砾石。玛瑙矿石色彩多样，红、黄、灰白、褐、黄褐、土黄等色均见有，纹带构造明显，玛瑙石中心常有沙心。淖毛湖一带玛瑙石直径常见为3~5厘米，也有大于10厘米的。初步估算的远景储量达4万多吨。

新疆的玛瑙一般呈球状或块状，品种多种多样，由于其形成和风沙研磨等原因有关，一般将新疆所产的玛瑙称为旱玛瑙，有些附有其他杂质，需要在盐酸中清洗，虽然表面艳丽，但失去了天然光泽。在内地常将玛瑙进行人工染色处理，很多红玛瑙均为人工染色而成。目前，新疆除伊吾淖毛湖发现玛瑙外，巴里坤三塘湖、哈密沙尔湖、克拉玛依等地也有发现，都属次生沉积矿床。新疆地域广阔，玛瑙石资源的潜在储量比较大。

火山成因石

火山是很多奇石的制造者。在古代火山的喷发地可以捡到火山成因的奇石，其种类可归纳如下：

火山弹：是火山喷发时抛到空中的塑性熔浆团，空中飞行旋转冷却凝成的类球状石。它的形状多种多样，有椭球形、梨形、纺锤形、麻花状等等，其直径一般在64毫米以上，内部常呈多孔状或气泡状，外壳多为玻璃质。由于它有特殊的地质意义，如其形状别致、块状完好、色彩有特点者可作为赏玩石。

火山石：是火山喷发物中多孔状塑性熔浆团在空中凝固撞到地面破碎后，从原地被洪水冲至河流中经多次搬运、砂水冲磨而成。一般表面呈黑色，多有规则的圆状孔，呈玻璃质而有韧性，敲击时有金属声。因其有特殊的地质意义，稳定性又强，其形状奇巧者可为观赏石。

火山泥球：也叫火山灰球、凝灰岩球、火山雹石。为火山喷出物之一。成因一说是火山喷出的碎屑围绕下落的雨滴并受气流冲击，凝聚成团而成；二说是火山碎屑围绕一个质点在火山堆积物中滚动增大而成。火山泥球小者如豆如乒乓球，大者如拳如碗。多为灰黄色，球体内结构较粗，分布无序，呈同心层构造，一些有观赏价值，并不难找。

火山岩
奇石"龙"

钟乳石

浮石：多产于火山岩分布的地区。是一种多孔的玻璃质酸性喷出岩。其特点是气孔特多，所以比重较轻，能浮于水，故名。呈白色、浅灰色或红黑色、黑色，存在于火山口周围者为红黑色或黑色。浮石经多年风化、水冲、块体完整、坚固，表面无新缺损痕迹，且构造奇特，块体在10厘米以上（更大者为好）者可作为赏玩石，也有作为盆景石的。浮石价格便宜不难找到。

黑曜石：为酸性的玻璃质火山岩。成分大抵同花岗岩，但全部由玻璃质组成。一般为黑色或褐色。有明显的玻璃光泽，因此有观赏价值。其断口为贝壳状。常产于酸性火山岩分布地区，黑曜石较难找到。观赏艺术价值高者，常作为工艺品和装饰品的原料，故要通过人工加工才能显示其美。

火山成因石在地球上的数量非常多，目前，新疆奇石市场中的火山岩主要来自于哈密南湖戈壁化石山附近和沙尔湖一带。其实，不是什么火山成因石都有赏玩价值，要从造型、光泽、颜色、纹理等方面鉴别观赏价值从而决定取舍。不能兼收并蓄，否则只能收集岩石标本，不是收藏奇石。在购买时也要注意价格，不要因少见而误出高价购买一般火山石，造成不必要的损失。

矿物晶体

近十几年来，随着国内赏石热的兴起，矿物集合体特别是矿物晶体的收藏引起了一些人的青睐，但就目前国内赏石界来说它还不是主流，还没有引起赏石、藏石和奇石经营者的足够重视，特别是我们新疆，素有"矿物晶体宝库"之称，许多珍贵的矿物晶体被当作宝玉石原料。

无论从矿物晶体的观赏价值，还是经济、科研价值上，那些晶簇（体）完整、颜色鲜艳的矿物晶体观赏石的价值要远远高于其加工成首饰等宝玉石制品的价值。只是因为它的潜在价值目前还没有被广泛认识，这种现状也许是中西方赏石文化的差异所造成的。

以美、法、加拿大等为代表的西方各国，赏石虽然起步较晚，但这些国家由于科技发达，地矿知识普及，又有雄厚的经济基础，故赏石之风来势强劲，人数众多，目前已拥有3000多万人的爱石藏石和赏石队伍。

由于中西方赏石文化的差异，中国和受中华传统文化影响较深的亚洲国家，主要以人文科学为指导，偏爱造型奇特、形神兼备、以形寓理的奇石作品，以奇石为载体进行文化艺术、历史典故、道德情操等主题的创作，属于艺术类型的赏石。

西方人除了注重奇石的外表艺术美和美学价值外，还注重奇石科学美的内涵，发挥赏石研究的学术价值，因此西方赏石以形式美学

水晶镜铁矿晶体

红水晶晶簇

及相关地学知识（矿物岩石学、古生物学、陨石学等）为指导，是偏重于科学型的赏石文化。

由于赏石观不同，西方藏石者推崇矿物晶体、古生物化石和陨石等观赏对象，因此在对矿物晶体的评鉴上，他们不在乎晶体像什么，或有什么寓意，而是注重晶体构造的完美程度和神奇的几何造型以及晶体颜色、光泽、质地、透明度、包裹体的稀有性和共生矿物的组合是否协调、珍奇、稀有等，从而拥有了广泛的奇石爱好者，形成了一个庞大的市场。

赏石是一门特殊的艺术，它不受经济、文化、民族、地域、国家等条件的限制，"赏石无国界，石友是一家。"作为奇石爱好者，特别是奇石投资者和经营者，应注意矿物晶体的潜在经济价值。

矿物晶体由于其稀有性，也由于分布的原因，大多数在新疆市场上很少见到，只有在部分地质陈列馆和奇石商店中可以看到其芳影。以下是除玛瑙外被新疆奇石爱好者开发出来的矿物晶体：

石英水晶：石英水晶类的矿石有多种可作为赏玩石。石英水晶为玻璃光泽，断口呈油脂光泽贝壳状，硬度为7，比重在2.65~2.66之间。石英水晶在我国分布甚广，多有晶簇发现，各种大块单晶簇均为赏玩石。主要品种有：水晶、紫晶、黄晶、烟晶、发晶、蔷薇石英、乳石英晶体。水晶中较珍贵的是发晶和水胆水晶，前者水晶中含有头发状杂质且透明、半透明，后者在水晶空洞中有水等液体，新疆阿勒泰、哈密等地均有发现。

石榴子石：石榴子石一般是晶体呈完好的菱形12面体或4角38面体，或两者的聚形，玻璃光泽，断口呈油脂光泽，硬度在6.5~7.5之间，比重在3.1~4.3之间，是典型高温矿物和变质矿物，其块体一般只有手指头或乒乓球大，其透明美者可为宝石，未达宝石级者为赏玩石。其种类有：镁铝榴石、锰铝榴石、铁铝榴石、钙铝榴石、钙铁榴石（黑榴石）、钙铬榴石。

黄铁矿：黄铁矿又名硫铁矿。黄铁矿的晶体通常呈立方体或5角12面体，晶面上有条纹，如其晶簇块体大者颇为壮观。常见有小块晶簇在市面作观赏石出售。黄铁矿浅黄铜色，有时会被误认为金矿，其实它的条痕为绿黑色，与金矿完全不同。黄铁矿呈金属光泽，硬度为6~6.5，比重在4.9~5.2之间，断口呈参差状。黄铁矿分布很广，不难找到。

长石：长石的种类极多，其色泽艳丽（如绿色、淡蓝、肉红色、玫瑰色、黄色、白色）透明或半透明者可作观赏石，其中极纯净者可作为宝石用。长石一般硬度为6~6.5，比重在2.5~2.7之间。新疆各地发现有优良的长石，有的光泽甚好。可作宝石用的天河石即为钾微斜长石。

绿松石：绿松石是一种非金属矿。它具有独特的绿或浅绿色。绿松石形似松球，色近松绿，故以得名。由于绿松石色泽美丽，价格昂贵，国际市场上一吨绿松石可换回约2000吨钢材或8000吨化肥。然而，自然界的绿松石资源却十分稀少。

目前世界上除伊朗、土耳其和印度发现少量质地较差的绿松石矿外，惟有我国是绿松石的主要产地。

蛋白石

我国绿松石产地除湖北外，新疆哈密天湖也有一个绿松石矿，古称河西甸子。绿松石堪称优良的高级玉石，古今中外无不视之为观赏石中的珍品。

孔雀石：孔雀石古称石绿，又名绿宝石。孔雀石由于其晶体呈针状，通常呈放射状，恰似孔雀羽毛一样美丽，故地质工作者称之为孔雀石。孔雀石是一种基性无水碳酸盐铜矿物，含铜量为57.5%，产在含铜硫化物矿床的氧化物中，经常与蓝铜矿共生。它们的出现可作为找寻原生蓝铜矿和铜镍矿的标志。孔雀石用途很广，除了炼铜外，造型优美、颜色鲜艳者可作观赏石。

云母：云母虽然常见，但是大者极少，它的晶体呈假六方形柱状，新疆阿尔泰山中伟晶岩的云母分布集中，颜色有无色、金黄、棕黑、淡绿色的，平面如镜，透如玻璃，从古至今有一些新疆居民以云母镶在窗上当作玻璃用，确实具有地方"风味"！

蛋白石：蛋白石为天然二氧化硅胶凝体。目前市面上常见的乳白色状如鸡蛋，常放在有水的盆里出售的为人工合成的蛋白石，价格非常便宜，并非真蛋白石，购买者需注意。真蛋白石非晶质，为致密块体，有时呈钟乳状体，颜色不一，多为蛋白色，往往因含有杂质而呈各种色彩，玻璃光泽，多孔块状的呈蜡状光泽，硬度为5~5.5，断口呈贝壳状，比重为1.9~2.5，常

为火山区温泉的沉积物，也有由硅酸盐矿物分解而成的。其种类有：贵蛋白石、火蛋白石、木蛋白石、水蛋白石、玻璃蛋白石。

石膏晶体：其晶体为无色透明状者，称透石膏，另有红色者，均有观赏价值。玻璃光泽，硬度为1~3，比重为2.3。

方解石、冰洲石：方解石晶体常呈复三方偏三角面体及菱面体，集合体呈晶簇，无色或白色，常因含杂质而出现他色。其中纯净无色透明者为冰洲石。玻璃光泽，硬度为3，比重在2.6~2.8之间，分布很广。方解石晶簇及冰洲石均有观赏的价值。

玉髓：玉髓又名石髓，是石英的隐晶质亚种。常呈肾状、钟乳状、葡萄状等。蜡状光泽，半透明。颜色不一，鲜红色、褐红色至褐色的叫"光玉髓"，苹果绿色的叫"绿玉髓"，鲜绿色的、深绿色并带有红色碧玉小斑点与血滴相似的叫"血玉髓"。玉髓比重为2.7~2.64，比石英低，硬度7。玉髓常见于喷出岩的空洞、温泉沉积、氧化带中。其质地与色彩最好者可达宝石级，质地一般而造型、色彩好者可作赏玩石，且为高档次的赏玩石。

电气石晶体：电气石也称碧玺，呈三方柱或六方柱状聚形晶体，可呈现出各种艳丽的色彩，粉红、翠绿、湛蓝、靛青、杏黄……还有一些串色电气石，上红下绿、中间呈过渡状，也有外表呈翠绿，内部呈粉红色的当地人叫做"西瓜碧玺"等。在颜色上电气石晶体能给人们以最好的美的享受。电气石是新疆的优秀矿产，市场交易量很大。在20世纪前我国的大部分彩色电气石（碧玺）都是新疆所产。

重晶石：晶体常呈厚板状，有集合体晶簇，也有钟乳状、结核状者，其无色透明、质地纯净

者可作观赏石，因含杂质而呈红色者也有观赏价值。玻璃光泽，硬度为3~3.5，比重为4.3~4.5。

绿柱石：绿柱石绿色透明的称绿宝石（还有粉红色、无色和黄色等，也照习惯称为绿宝石），其翠绿色透明的称纯绿宝石，也称祖母绿，其蔚蓝色透明的称海蓝宝石（新疆、云南有产），其淡蓝色透明的称水蓝宝石。这种石产于花岗伟晶岩中，晶体往往很大，有的可长至几米，有时也见于砂矿中。矿体为玻璃光泽，硬度为7.5，比重为2.9，作为观赏石其质量较好者属高档次观赏石。

矿物晶体观赏石种类繁多，会让读者眼花缭乱，令人很难鉴别。值得指出的是奇石爱好者在接触此类奇石时应多向地质工作者、地质专家请教，以免误识，在购买时上当受骗。特别要注意不要把一些自己还不认识的矿石收藏到家里，以免因具有放射性或有其他危害人体的毒质而带来害处。

古生物化石类

化石是指各个地质时代埋藏于地下的动物或植物，在地层成岩过程中，这些动植物被矿物所交代，但保持其原形的生物遗体。新疆地层齐全，基本上各个地质时代的化石均可见到，特别是珊瑚、腕足类、三叶虫、鱼类、两栖类、哺乳类和植物化石均有产出。有一些稀奇的化石群则成为新疆一大景观。

某些具有一定观赏和收藏价值的古生物化石类观赏石，特别是古脊椎动物化石，是人们最喜欢收藏的品种之一，尤其是西方国家的博物馆和收藏者更热衷于采集、收藏和经营。但是，在我国按照文物保护法的规定，这些古脊椎动物化石与地下文物一样，属国家所有，个人不得随意采挖，更不能进行自由买卖。

木化石：又称石化木，指已石化的植物次生木质部，其物质成分多已变为氧化硅、方解石、白云石、磷灰石、褐铁矿或黄铁矿等，如主要是氧化硅者则称为"硅化木"。我国地层中木化石很多，主要是松柏类的硅化木，木化石大块而形状奇特者可作园林之立石或奇石之摆设。目前是新疆奇石市场的主流品种。

石果化石：也叫化石果、石籽。泛指植物的果实或种子的化石。其形状有椭圆形、卵形、纺锤形等，大小不一，表面平滑或有瘤、脊、纹等石化饰纹。个体较大且表体纹路好者可作赏玩石。

蕨类植物的叶化石：其叶形较好者有锥叶蕨、枝脉蕨、织羊齿、脉羊齿、大羽羊齿等数种。

裸子植物的叶化石：其叶形较好者有科达、蕉羽叶、侧羽叶、拟银杏、线银杏、长枝杉等。

三叶虫：5亿年前古生代寒武纪是三叶虫繁盛的时代，它在海洋中延续了3亿余年。三叶虫是节肢动物门有鳃亚门三叶虫纲的一种带硬壳动物，整个身体分为头、胸、尾三部，背甲被两

昆仑山海洋化石出露点

三叶虫化石

条背沟纵向分为一个轴叶和两个肋叶，故名三叶虫。个体长几毫米至70厘米，种数超过1万个，各种三叶虫不同，同一种也有大有小，小者仅指头大，大者可达几十厘米乃至近1米长。为常见的观赏化石。新疆相继发现了各种三叶虫化石，而且它只与海洋动物（珊瑚、海百合、腕足类、头足类等）化石共生。

珊瑚化石：为腔肠动物门珊瑚虫外胚层分泌的钙外骨骼，也有为中胶层内的骨骼所形成的化石。其观赏品多为块状集合体，种类繁多。较有观赏价值者为等星珊瑚、六方珊瑚、贵州珊瑚、石柱珊瑚、拖鞋珊瑚、链环珊瑚、蜂巢珊瑚、笛管珊瑚、日射珊瑚等等。珊瑚化石种类多，全国各省多有发现，但块体完整（块状或树枝状）且纹路清晰者并不多见。一般珊瑚化石没多大观赏价值，价格也很便宜，构造完整清晰度高者可收藏。中生代以前的新疆海相地层中，一般可找到珊瑚化石。

海百合化石：属棘皮动物。以其外形似百合花故名。硬体分根、茎、冠三部分，冠部又分萼和腕，均由钙质骨板组成，萼常呈球形或杯形，为海百合主要鉴定部分。茎由许多茎板叠置而成，长短不一，外形有圆形、椭圆形、五边形等。新疆奇台县有一个名叫"石钱滩"的海相古生物化石出露点，那里的戈壁上散落的大量的距今3亿年前石炭纪的珊瑚类、腕足类、瓣鳃类、腹足类等几十种海洋动物化石，其中最多的是海百合，由于它的茎环酷似古钱币，因此那里被称为"石钱滩"。

石燕：为腕足类动物化石之一种。贝体大，轮廓横长，铰合线为壳的最宽部分。两壳双凸形，中槽、中隆发育。壳喙尖锐弯曲，铰合面凹曲，成横三角形。分布世界各地，品种甚多，大同小异。乌什县有一座燕子山，它以山上盛产燕子状的石燕化石而闻名。

菊石：为头足纲、菊石亚纲动物的化石。整块多扁圆形，打开有菊花状纹。壳多包卷，厚且多饰纹，如横肋、纵脊、瘤、刺等。在整个中生代的海洋中，它是一种数量最多、占统治地位的无脊椎动物。菊石壳化石是划分中生代海洋沉积地层的标准化石。化石的此类菊石不是矿石的菊花石，不要混淆。

角石：在我国较具代表性，为直角石化石，也名震旦角石，古称宝塔石。另有珠角石，也叫阿门角石，也为直角，呈串珠状。还有袋角石、箭钩角石、短棒角石等等。过去有的人将角石误认为是动物角或牙齿的化石，其实角石是螺的外壳的化石。乌鲁木齐市东山发现过此种4.4亿年前的奥陶纪地层中化石。

贝类：昆仑山北麓的皮山县境内最近发现了一座"化石山"，山上遍是裸露于地表的软体动物门瓣鳃纲的贝类化石。近几年，在新疆托克逊、巴里坤也多有发现。

石燕化石

蜻蜓：蜻蜓是昆虫纲蜻蜓目差翅亚目的一类节肢动物。发现于乌鲁木齐2.3亿年前二叠纪的灰色泥质页岩中。3.2亿年前就有了早期蜻蜓，大的种类其翅展可达75厘米，这类蜻蜓早已绝迹。现存蜻蜓约有5000种。

马陆：马陆是节肢动物门多足纲的一类动物。发现于乌鲁木齐二叠纪的灰色泥质页岩中。马陆属早期节肢动物，起源于像蚯蚓一样的环节动物。有些种类的马陆，在初生时有6只足，昆虫有可能就是从这类"六足幼虫"演化来的。

古鱼类：3.6亿年前的泥盆纪是鱼类发展极为重要的时期，各个主要分类群都已出现。我国鱼化石发现甚多，如在南方发现的头甲鱼及多鳃鱼化石，在云南发现的鳍甲鱼化石，在湖南、广东、广西、贵州、云南、宁夏发现的沟鳞鱼化石，在南方发现的中华棘鱼化石，在新疆发现的吐鲁番鳕鱼化石，在北方发现的狼鳍鱼化石，在东北发现的满洲鱼化石，在湖北发现的江汉鱼化石等等。天山南北的晚二叠纪地层中，广泛分布着吐鲁番鳕鱼化石，这种化石由于最初发现于吐鲁番，故名。吐鲁番鳕鱼属硬骨鱼系辐鳍亚纲的古鳕目古鳕科，体长可达40厘米。吻圆钝、口裂大、牙齿细小，背鳍和臀鳍位置靠后，呈三角形，鳞片呈菱形。生活在淡水中。

准噶尔翼龙：生活在1亿多年前的白垩纪早期。过去人们认为翼龙只生活在海滨，而准噶尔翼龙是在克拉玛依的乌尔禾陆相地层中发现的，说明有些翼龙也生活在淡水湖边。

恐龙蛋：恐龙蛋是珍贵的古生物化石，在我国河南西峡大规模恐龙蛋化石发现前，全世界收藏不超过500枚。目前在我国山东莱阳、广东南雄、始兴、江西赣州均有发现。新疆乌尔禾等地区也发现了恐龙蛋化石。恐龙蛋化石有圆形、卵圆形、长椭圆形等多种形状；大小悬殊，小者似鸭蛋，大者直径超过了50厘米。

水龙兽：水龙兽是一种类似于哺乳动物的爬行动物，生活在水中。它的颈较短，身体呈桶状。四肢短，尾巴不长。水龙兽生活在三叠纪初期（距今约2亿年）。它是爬行动物向哺乳动物进化而未成功的一个旁支，于三叠纪末绝灭。根据新疆吉木萨尔和吐鲁番发现的化石，说明和水龙兽、肯氏兽一起生活的还有鳄鱼一样的阔口龙（加斯马吐龙）和一些原始爬行动物，如三

乌龟化石

台龙、似原蜥等。

鸟类：1.4亿年前晚侏罗纪的始祖鸟，人们曾把它作为鸟类的祖先。近几年，我国辽宁西部多种原始鸟类（中华龙鸟、孔子鸟等）的发现，进一步证实了鸟类起源于爬行动物虚骨龙类（恐龙的一种）。1982年，在新疆三个泉发现了新疆鹤类鸟化石。1991年在乌鲁木齐红山二叠纪页岩中相继采集到8例被采集者称为"鳍翅鸟"的化石。

古两栖类：3.5亿年前的泥盆纪晚期，新疆境内的海洋大幅度退缩，到距今2.7亿年的二叠纪时，欧亚联合古陆形成，塔里木古板块向北运动与准噶尔古板块碰撞拼合，使洋盆闭合。天山、昆仑山、阿尔泰山从茫茫大海中拔地而起。生活在水中的总鳍鱼类（属硬骨鱼类）经过长期适应，逐渐演变成了既可在水中游动，又能在

陆地生活的原始两栖动物。乌鲁木齐红山二叠纪页岩中，采集到了两栖爬行类动物——肩鳍类化石。在准噶尔盆地五彩湾附近的红色泥岩中，也发现了2.5亿年前的两栖纲圆鳞科化石新种。

古爬行类：原始两栖类经过几千万年的演化，到距今3亿多年前石炭纪早期，产生了原始的爬行类。由于摆脱了繁殖时对水体的依赖，爬行动物成了最早征服陆地的脊椎动物。距今2.3~0.65亿年的中生代是爬行动物时代，当时的种类和数量要比现在多得多。目前在我国四川发现有蛇颈龟、中国古鳖化石，在其他地方发现有无盾龟、陆龟化石。在准噶尔盆地，采集到许多爬行纲动物化石，其中大多数是恐龙、龟鳖目和鳄目化石。

恐龙：在爬行动物化石中，最有名的是恐龙，恐龙包括了爬行纲动物分类中蜥臀目和鸟臀目这两个已经灭绝了的目级分类群动物。恐龙自距今2.3亿年前的三叠纪中期出现，到距今6500万年前的白垩纪突然灭绝，主宰了地球1.7亿年。恐龙种类繁多，小的只有几十厘米，大的有几十米长、几十吨重。陆地、水下、空中都有恐龙的活动。新疆奇台恐龙沟内已挖掘出3具恐龙化石。其中4号坑中一具蜥脚类化石身高10米，体长达34米，是目前亚洲发现的最大的恐龙化石。克拉玛依乌尔禾的准噶尔翼龙化石名震中外，它的两翼展开足有2米，头顶冠状突起向后延伸，前牙消失，身后拖一条长尾。目前，在新疆发现的恐龙化石还有单棘龙、克拉美丽龙、巧龙、天山龙、工部龙、鄯善龙、暴龙、耐梅盖吐龙、嘉峪龙和敏捷龙等。

哺乳类：6500万年以来的新生代是哺乳动物时代。哺乳类起源于爬行类，在新疆三叠纪地层中发现的二齿兽，就接近于哺乳类祖先的爬行类。第三纪时，从白垩纪就已存在的原始有胎盘食虫目起源，以北大陆为中心，分化产生了适应各种生态环境的哺乳动物。到第四纪时，完成了森林古猿向人类的进化。在吐鲁番

乌鲁木齐狼鳍鱼化石

采集到恐角兽、天山兽、古脊齿兽、天山副巨犀等哺乳动物化石。在新疆其他地区还采集到豕齿兽、东方柱兽、冠齿兽、古菱齿象、剑齿象、大唇犀、大角雷兽、恐角兽等化石。

天山副巨犀：天山副巨犀（吐鲁番巨犀）属哺乳纲奇蹄目犀牛科，出土于吐鲁番2250万年前的第三纪渐新世地层中。这是当今世界上发现的最为完整的巨犀化石。化石标本高5米，长7米，生前体重约33吨，是现代非洲大象体重的4倍，目前该化石陈列在吐鲁番博物馆。

象：新疆准噶尔盆地发现的哺乳纲长鼻目

的剑齿象化石是世界上分布最广的，其余大多分布在非洲和亚洲东南部。剑齿象身高4米，体长达8米。乌鲁木齐、昌吉等地还采集到古菱齿象、猛犸象、嵌齿象等化石标本。

哺乳动物牙齿化石

　　古生物化石种类繁多，不是什么都可以成为观赏石的。要选造型奇特、完整，较有稳定性并稀有，具有科研价值、且有一定的美感者为观赏石。古生物化石的鉴定问题很复杂，要多请教有关专家。目前市面上出售的多有赝品或伪造者，有用水泥或其他粘土、石膏复制者，有的还复制得惟妙惟肖，购买时要注意，以免上当受骗。

其他

　　图纹石类：主要有乌鲁木齐河、塔里木河、乌伦古河、阿克苏、克拉玛依、伊吾河谷以及博尔塔拉河谷中发现的一些卵石。因其色彩艳丽、图纹并貌而拥有了少数收藏者，但目前还没有形成一定的赏玩群体。其今后能不能被奇石爱好者广泛认可和收藏，还要看资源量、代表性精品及品质。相信在新疆这样一个像玛河、额河等河流众多的地方，今后如果宣传、包装甚至市场炒作到位，会有一些地方的图纹石会像玛河石、额河石一样被收藏者广泛认可和收藏。

　　钟乳石及盐晶类：钟乳石为岩溶生成物，多产于溶洞中自洞顶下垂的石灰质体，是含有丰富碳酸钙的山水或地下水由于二氧化碳的溢出和水分的蒸发，部分碳酸钙重新沉淀而成。主要分布在我国南方地区，新疆其他地区蕴藏情况不详。目前在哈密、鄯善已有发现，已被开发成为奇石，但这些钟乳石被称为旱钟乳。新疆一些盐湖中由于水的蒸发作用，高浓度的盐溶液可形成盐晶、盐晶花，由于硬度不高，虽然观赏效果好，但收藏者甚少。

　　陨石类：如果把地球原来就有的石叫地石的话，那么从地球之外的太空（宇宙）来的石就是天石了。

　　陨石是太空直接送给我们的天石标本（样品），为了让我们更好地了解宇宙，好像是专程送来给我们作研究之用的。由于陨石能给人以这种神秘感和科研作用，加上能够找到者甚少，所以陨石历来都为国家和个人所重视，一经发现，就由国家或个人所珍藏。对于奇石爱好者来说，陨石又被看成是奇中之奇。陨石按其成分，一般分为石陨石、铁陨石和石铁陨石，此外还有玻璃陨石。

　　现在新疆地矿博物馆楼前展出的新疆铁陨石，是世界上第三、中国第一的大陨石，重约30吨，长2.42米，宽1.85米，高1.37米，是件珍奇之石，中外游客都以能目睹这个天外来客为荣。它1898年发现于新疆青河县银牛沟，何时降落无从考究，1917年载入文献，当地人称"银骆驼"，含8种矿物，其中6种是地球上所没有的宇宙矿物。

菊石化石

主要奇石产地及市场

目前，新疆奇石收藏热仅局限在一部分城市，这些城市由于地理位置优越，交通便利，信息发达，借助于当地丰富的奇石资源，形成了一些大型的奇石市场，不仅带动了下岗失业人员就业和农牧民的增收，也丰富了当地的城市文

2千米处（称为大西沟、西沟、大峡谷）石矾光滑，但造型较单一，产量较大；煤矿以西35千米大西沟西南（现土屋铜矿对面），硅化、铁化、钙化石等种类齐全，造型丰富但硬度不高；煤矿正南27千米处，以硅化木为主。在煤矿方

新疆地质矿产博物馆是值得奇石收藏爱好者参观学习的一个好地方。

化，增添了旅游项目，推动了旅游业的发展。截至2005年2月，新疆各主要奇石产地及市场情况如下：

全疆最大的奇石产地——哈密

哈密是新疆大漠石的主要产地，也是全疆最早形成奇石热的地区。哈密丰富的奇石资源不仅带动了当地奇石产业的发展，而且为这座城市在全国石友中赢得了一定的盛誉。

一、主要奇石产地：

南湖煤矿区域：以出产木化石而闻名，其具体地点为哈密市以南100千米的南湖煤矿周围。其分布地点和情况如下：煤矿东南34千米（称为东沟）是主产区，主要以硅化木为主，硅化程度高，造型变化较大，木质感强；煤矿西北

圆50千米范围内，有多处小型硅化木鸡窝矿分布。同时该区域也以出产戈壁石、泥石，以及叠层石、珊瑚等古生物化石而闻名。

沙尔湖：被称为各类大漠石的聚宝盆，距哈密市西南220千米。以石种丰富多样且量大而闻名，其所出的木化石虽没有南湖煤矿的质地、颜色、光泽好，但树形保存完好，一般都具有完整的枝杈和孔洞。除木化石外，该地区所产的玛瑙、火山岩、果子化石、戈壁石也是市场的抢手货。

沙尔湖红山：具体地点为十三间房火车站以南80多千米处，主要出产被称为七彩、五彩的玛瑙质硅化木，部分硅化木的硬度达到了宝石级。1999年年底发现，2000年就已枯竭，据估计此处共出产了上千吨木化石。

66

马蹄山：是新疆优质风凌石的主要产地，距哈密市东南 310 千米。所产的风凌石以造型丰富、颜色多样、硬度较高而闻名，由于开发时间较早，目前资源已枯竭。

沙垄：位于雅满苏矿西南附近，主要以风凌石为主，其风凌石质地较脆，颜色单一，蕴藏量比较少。

彩霞山：位于哈密市西南和鄯善县交界处，主要以风凌石为主。其所产风凌石为单一的白色，开发历史虽短但开发价值不高。

淖毛湖：主要以体形高大的硅化木和玛瑙为主。木化石分布于伊吾县淖毛湖镇以西东起黑山嘴西至小盐池长 40 千米的地表。已发现的硅化木有两种：一种以硅化程度较高的黑心红白色外皮为主；另一种为暗红色，光泽暗，树木的年轮特征明显。淖毛湖是新疆重要的玛瑙石产地之一，其开发历史有 10 年之久，早期作为工艺品原料开发，后期随着赏石热兴起，作为奇石开发，目前资源已枯竭。

三塘湖：位于巴里坤县境内，硅化木产量不大，多以地层中挖出的为主，风凌程度较差。在该区域中蒙边境的苏海图有一座贝壳山，出产一些贝类化石。三塘湖戈壁也有玛瑙产出，其玛瑙石的品种比较单一，块体较小。

二、主要市场

远通奇石文化城：2002 年 2 月开业，位于哈密市融合路城区和铁路地区交汇处。主要以硅化木销售为主，除本地硅化木外，大部分为外蒙、缅甸等国硅化木，目前是哈密最大的奇石市场，共有商店 70 多家，地摊 20 多处，配座作坊三四处。

花鸟鱼虫市场：建于 1999 年 6 月，位于哈密市时代广场，是哈密最早的奇石市场，市场最繁荣时的 2000 至 2002 年期间，共有商铺和地摊 100 多家。2004 年由于城市建设拆除，大部分已搬迁到大十字商业街。

大十字商业街奇石市场：2004 年 6 月陆续由原花鸟鱼虫市场经营者搬迁到此经营，目前共有奇石商店 40 多家，临时商铺十几家。

哈密市火箭农场、四堡等地：这里一些农民在农闲时到戈壁中寻石、探石，在家里经销。前几年这里是哈密几大奇石市场的主要供货地。目前从事奇石经营的人略有减少，但火箭农场仍有 20 多户从事奇石经营，主要奇石品种以风凌石、戈壁石、火山岩、玛瑙为主，也有从内蒙贩运来的硅化木。五堡乡四堡村及邻近的柳树泉农场有 30 多户奇石经营者，主要奇石品种为从沙尔湖中挖出的木化石和一些戈壁石。

哈密最大的奇石
交易市场远通奇石城

全国最大的风凌石市场——鄯善

位于吐鲁番地区鄯善县的主要奇石产地是七克台以南的南戈壁。主要市场位于县城以东的七克台镇南湖村，其市场销售品种以本地产的风凌石为主，约占 80%以上。奇石收藏者主要以吐哈油田干部职工和城镇市民为主，主要销往乌鲁木齐、哈密以及北京、上海、广西等地。

由于七克台南湖村邻近哈密，以东为沙尔湖，以南为南戈壁和罗布泊地区，具有丰富的奇石特别是风凌石资源，目前新疆奇石市场中90%以上的风凌石都来源于该地。

一、主要奇石产地

卧龙岗（风凌山）：风凌石出产地距七克台南湖村 197 千米，当地人将出产风凌石的山体称为风凌山。该产地位于戈壁深处，四周为

额尔齐斯河一景——石钟山

沙漠，呈东西走向，长 10 千米，宽 5 千米左右，主要出产风凌石，目前仍在开发。同时这一区域也是彩石（彩玉）的重要出产地，其出产地在长 1 千米、宽 200 米的一座山体上，开挖出的山料被外地人购买，当作工艺品雕刻原料。

罗矿：位于巴州若羌县罗布泊境内，虽属巴州，但开发主要是以鄯善人为主。罗矿是南湖村人对其风凌石产地的俗称，因有罗布泊钾盐矿点而得名，该地距七克台南湖村以南 310 千米。目前也有哈密石商在开发，但从哈密到罗矿一般需绕行到马蹄山才能到达，距离较远，全程约 610 千米。该地风凌石品质较好，颜色以青白、白色为主，由于开采历史较短，资源仍很丰富。

沙尔湖：虽属哈密，但距离南湖村只有107 千米（到木化石出产点），并且沙尔湖盆地面积较大，许多奇石新品种为南湖村人所开发和发现。除木化石外，已被开发的有果子化石、火山岩、玛瑙、戈壁石、火山珍珠等。

化石山：位于鄯善县迪坎尔乡大漠戈壁中，在连绵起伏的几座山丘中两座高 800 多米、长2 千米的山丘中发现了大量海相生物化石。由于开发历史较长，目前资源已枯竭。值得指出的是此地发现的化石，由于风沙的吹砺打磨，有些同原岩形成了千奇百怪的造型石类奇石。

二、主要奇石市场

南湖奇石城：位于七克台镇南湖村 312 国道旁，2000 年建立，2004 年 6 月扩建。目前有商户 55 户，从业人员主要以南湖村农民为主，风凌石价格一般在数十至上千元不等，是购藏新疆风凌石的首选之地。

大漠奇石旅游城：位于七克台镇南湖村312 国道以北，2001 年建立，目前有商户 20

周末到玛河去采石赏石是许多石河子市市民的业余爱好。

户,以内地人为主。风凌石价格不高,除风凌石外,也有一些内地奇石出售。

鄯善县奇石协会大漠奇石市场:位于鄯善县城内,主要以风凌石、木化石为主,目前有店铺 12 家,以城镇下岗失业人员为主。

南湖村 312 国道旁及农民庭院:在 312 国道近 100 多米的南湖村路段,两边分布有奇石商店,共有 15 户,主要以当地农民为主。同时,在农民院子里也都有奇石出售。国道以南有三条街道,几乎家家户户都在销售奇石,价格一般不高,好一些的奇石都配好底座摆在市场里出售。

额河石的故乡——富蕴

阿勒泰地区位于新疆北部,被誉为新疆稀有金属矿物天然"陈列馆",除近年开发的矿物晶体类奇石外,阿勒泰地区发现的奇石主要有额河石、戈壁石、化石三大类,其中尤以额河石因资源丰富、纹理清晰、色彩艳丽而受到当地广大石友的青睐,成为了主流品种。

分布在额尔齐斯河及其所有分支河流中的额河石,更以富蕴县境内所出产的为最好,并形成了一定的市场规模和知名度。

富蕴县额河石主要以位于县城 80 多千米的额尔齐斯河等地出产的最佳。其采石受季节限制,一般在气候较暖的 6~9 月,以 8、9 月最佳。虽然富蕴县的额河石开发较全疆其他地方较晚,全县也仅有 2 万多人,但目前已形成了几乎人人爱石、家家觅石的风气。2004 年建立了额河奇石市场,有近 30 家商铺在经营额河石及矿标、木化石、戈壁石等奇石。目前,在乌鲁木齐国际大巴扎奇石厅中也有两家奇石商店专营额河石。

富蕴县奇石馆:1998 年采取公助民办的方式建立,位于县城中心原县文化馆内,面积

的木化石。注汽车上装运开采出来

200多平方米,常年展出一千多块额河石,其中不乏精品。门票2元,是外地游客和奇石爱好者观赏认识额河奇石的最佳之地。

玛河石的开拓者——石河子

戈壁明珠石河子市,城名即以"石"字开头,城市也建在数丈深的砾石层上,城东8千米处又是盛产卵石的玛纳斯河,是一座名副其实的"石城"。石城出奇石,这就是闻名遐迩的玛河石。

近几年,该市形成了以赏玩玛河石为主的赏石群体,并建立了常年展览玛河石精品的石河子奇石馆,形成了"石城"独特的奇石文化。

目前,石河子市有玛河石收藏爱好者两千多人,建立家庭藏石馆50多家。市内有玛河石经营商店2家。2004年9月,位于市工人文化宫奇石馆前的广场上设立了在双休日开放的奇石交易场所,供石友互相交流、观摩和购买。

石河子奇石馆:到石河子市最好能到位于该市工人文化宫的石河子奇石馆观赏玛河石。该馆建立于2002年8月,占地343平方米,常年展示以玛河石为主的奇石,按人物、动物、景观、文字石等分类有近600块,其中不乏精品、珍品,门票也不贵,每人2元。

美玉的摇篮——和田

位于塔克拉玛干大沙漠南缘的和田,自古因出产美玉而闻名于世。和田美玉虽然举世闻名,而和田玉奇石的开发却是近几年的事情。

几千年来,和田玉都是作为一种玉雕材料被人们雕琢,而对无雕琢价值的奇石不加重视。在近几年赏石热的带动下,人们用赏石文化的理念来重新认识和田玉,和田玉奇石的收藏才日益引起了人们的注意,并悄然兴起。

目前在和田被奇石爱好者开发出的奇石有两类,一种是一般的卵石,或因图案精美或因造型奇特而被收藏,另一种是以玉为载体的和田玉奇石。其中尤以和田玉图案奇石受到青睐。

和田玉奇石色彩丰富,在目前已发现的色彩中,赤、橙、黑、白、黄、蓝、紫、绿均有。

在这些基本色彩中还存在有多姿多彩的

过渡色，这些色彩一是来自玉石本身，二是玉石长期受水中的矿物质浸润所致。这些丰富的色彩在天然玉石上错落分布，构成了千姿百态的图案，画面意境之深邃、韵味之悠远亦堪称一绝。在已发掘出来的奇石中，有的文化品味之高，令人叹为观止。

目前，和田玉奇石的收藏主要以当地汉族人为主体。近年来到河滩觅石已成为许多和田市民的爱好。和田也出现了一大批奇石收藏者，从一般的奇石到和田玉奇石，每个收藏者手上都有一些图案精美的石头。

在乌鲁木齐民街、大巴扎等奇石市场中也可看到和田维吾尔族人背包中摆放的奇石出售。但和田玉奇石的主要市场在产地和田，特别是和田的玉石巴扎。

和田玉石巴扎位于和田市内最大的大加买清真寺前的一条石头街上，在和田市区内的街道上也有出售和田玉的地摊，被当地农民称为石头巴扎（巴扎：维吾尔语意为集市、赶集之意）。

和田玉石巴扎不是天天有，而是每逢星期五和星期天才有，星期五是小巴扎，星期天是大巴扎。在这两天里，买玉人和卖玉人不约而同地聚集在一条古老的街道上进行玉石交易。玉石巴扎夏天最红火的时候，玉石摊位有上千个，有1万多人在此进行玉石交易。摊主们在地上铺一块红布，把玉石放在上面，有成堆摆放的，也有把玉石排列成队摆放的。摊上的玉石多为青玉，大的如脸盆，小的如拳头，也有在和田玉龙喀什河中捞出的仔玉，而包内、皮箱里装的多是上等白玉。

新开发的奇石产地——克拉玛依

克拉玛依市是一座只有40多年历史的年轻城市，因丰富的石油资源而被誉为"油城"。本世纪以来，随着克拉玛依旅游资源的开发，受区内外赏石热的影响，散落在戈壁滩上的大漠奇石和一些卵石类奇石引起了当地奇石爱好者的注意，2001年该市乌尔禾区出现了第一家奇石商店，并逐渐形成了捡石、藏石、赏石的风气。

克拉玛依市主要奇石产地和市场位于该市100多千米的乌尔禾区。目前乌尔禾区有奇石商店8家、地摊20多家。近几年随着位于该区魔鬼城景区的开发，出现了18家常年经营奇

和田玉石巴扎上出售和田玉和古玩的维吾尔族老人。

奇台硅化木——恐龙国家地质公园内的雅丹地貌

石的商店，有本地人，也有一些外来经营者，主要销售对象为外来游客。在他们的带动下，大约有三四百人加入到了当地采石贩石行列，并形成了一条奇石产业链。乌尔禾奇石产地主要有两处。

一处是该区魔鬼城周围的戈壁滩，主要品种有：

石英质彩石：有拳头大小，透明状，颜色以红、黄为主。

砂岩结核石：以椭圆形为主，硬度不大，个体大小差异较大，大的有1吨多，小的只有乒乓球那么大。

硅化木：主要在古河床中发现，颜色以黄色、黑色为主，块体较小，产量不多。

烧饼石（俗称）：产量较大，以黄色为主，一般都有包浆，已进入乌鲁木齐、鄯善等地奇石市场。

图纹石：产量较大，水冲类卵石，质地细腻，色彩丰富，但图纹精美、具有一定意蕴的较少。

化石：以恐龙、贝壳、珊瑚化石等为主。

玛瑙：产量较大，但块体较小，以玛瑙蛋为主。

另一处产地位于哈拉阿拉山，该山虽然位于塔城地区，但距离乌尔禾只有20多千米，主要为克拉玛依人开发。该山体长20~30千米，高约50米，主要奇石为风凌石，其不同于哈密、鄯善所产的风凌石，由于颜色以绿色为主，当地人称为绿风凌石。目前，已进入乌鲁木齐、内蒙古等地市场。2004年8月，该市举办了新疆奇石根雕精品暨旅游纪念品大赛，推动了该市赏石文化的发展。为加快奇石产业发展，克拉玛依已在魔鬼城大门口新建了一个商业区，2005年年初已有30多户商家报名要求经营奇石。

克拉玛依魔鬼城恐龙奇石馆：2003年在魔鬼城景区建立，展示发现于该地翼龙下颌骨化石、蕨类植物化石等珍贵化石及各类奇石。

奇台、托克逊等地奇石及市场

近两三年来，全疆其他一些地方也兴起了奇石收藏，虽然由于奇石资源、地理位置等原因而没有形成热潮，但这些地方的奇石流进了邻近县市或乌鲁木齐的市场，为新疆奇石收藏和市场注入了活力。

奇台：位于奇台县境内将军戈壁的硅化木群是亚洲迄今发现的规模最大的一片硅化木

遗址，虽然昌吉州政府早在 2001 年 3 月就制定了《硅化木保护管理条例》，划定了保护区范围，但近几年偷盗事件屡禁不止。主要的原因是哈密硅化木在全国的声名鹊起，受当时暴利影响而使一些无知之徒铤而走险。近几年随着人们对木化石的进一步认识，此地没经风砺而盗挖出的硅化木，收藏观赏价值并不高。同时该区域也已入选国家地质公园，受法律保护，故本书将此地的木化石不列入新疆奇石产地之中。

为充分开发利用奇台县的其他奇石资源，2004 年 6 月，奇台县在古城南街建立了奇石花卉市场，11 月正式营业，有 40 多家商店经营奇石，主要经营本地小型硅化木和蒙古国、缅甸硅化木，以及风凌石、戈壁石、水晶矿标等奇石。市场的建立，不仅使人们正确地认识了奇石的价值，也使以前暗中炒作的硅化木价格有所下降，反而遏制了硅化木的盗挖。

奇台硅化木——恐龙国家地质公园：2004 年入选国家地质公园，是以丰富的硅化木群、恐龙化石为主体，集不同地质时期海相、陆相及西部独特的魔鬼城雅丹地貌和荒漠自然景观、人文景观于一体的地质公园。园中的硅化木群是亚洲面积最大、数量最多的硅化木森林；奇台恐龙沟已出土 6 具完整的恐龙化石骨架，其中 1987 年出土的蜥脚类恐龙——马门溪龙是目前已发现的亚洲第一、世界第二大恐龙化石。是值得奇石爱好者参观游览的地方。

托克逊、吐鲁番：吐鲁番市区内有四五家奇石商店，主要以七克台的风凌石为主；托克逊县有化石发现，并建有一处奇石市场，该奇石市场有 20 多家商店，主要经营本地出产的各种化石和戈壁石。一些农民手中也有奇石在家待售，主要是一些贝类、珊瑚化石，也有一些鱼类、龟化石出售。

多石种交汇之地——乌鲁木齐

乌鲁木齐虽然不出产奇石，但作为新疆的首府，以其优越的地理位置、交通优势以及生活水平较高等优势，成为全疆最大的奇石交汇之地，目前已发展到 200 多家商铺，形成了近十处专业奇石市场，风凌石和硅化木占市场份额的 70% 以上，全疆各地的奇石都可看到，同时也有

新疆民街也是购买奇石的好去处。

广西、内蒙以及蒙古国、缅甸的硅化木等奇石，其奇石市场目前正处在扩张的局面，带动了乌鲁木齐市的奇石爱好者和收藏者，主要奇石市场有：

新疆国际大巴扎：目前新疆最大的奇石市场，2003 年 8 月开业，其奇石商店主要分布在三个区，4 号楼一楼共有 20 家左右，3 号楼二楼共有 10 家，5 号楼 3 厅共有 3 家。该市场主要以硅化木为主，也有风凌石、和田玉、额河石、矿标、戈壁石等。

新疆民街：奇石销售在 5 号楼二楼奇石厅，2003 年 7 月开业，目前共有 20 多家奇石商店。

珍宝楼：位于乌市友好北路新疆地质矿产博物馆旁，有奇石专营或兼营店铺 50 多家。主要以玉石批发、奇石销售为主。

新疆华凌市场奇石、玉器市场：有奇石商铺 40 多家，每周末有奇石巴扎市场，最多时有六七十家地摊。

二道桥综合市场二楼：2004 年 6 月开始经营，有十几家店铺经销各类奇石。

广汇美居物流园：位于 C 座 3 楼，2004 年 7 月开始经营，最多时有四五十家店铺。

南公园花卉市场：比较零散，旺季时有十几家。

宝地宾馆：在该宾馆一、二楼共有十几家奇石商店，是乌鲁木齐最早的奇石专业市场，主要经销风凌石、硅化木、玛河石及额河石等。

同时在乌鲁木齐市人民剧场、友好等地，也有一些比较零散的奇石商店，由于没有形成规模，本书不作详细介绍。

新疆地质矿产博物馆：位于乌鲁木齐市新华北路，是值得奇石收藏爱好者参观的地方，门票 15 元。2004 年 5 月投资 5000 万元建成，是一个展示新疆找矿成就和地质情况、普及地学和相关知识的专业展馆，收藏了 99 种、1500 多件矿产标本。有幻灯展示九大行星及地球特性之神秘现象的宇宙球厅；有展示新疆石油、天然气开发及其产品的厅；有展示新疆各种金属、非金属矿产的厅；有展示新疆宝玉石的厅和展示地质景观、地质环境的厅。新馆增设了钾盐、蓝铜矿等十多种新矿产标本，增加了合川马门、翼龙、苏氏巧龙的恐龙模型。一块块奇形怪状、五颜六色的石头，金的、银的、玉的、铜的、稀有金属的，琳琅满目，异彩纷呈。一块块化石揭示了新疆久远的历史。

哈密赏石文化
的兴起与发展

哈密地区位于新疆东部,自古以来这里就是西域与内地联系的咽喉地带,素有"西域襟喉,中华拱卫"之称。全地区人口52万,总面积15.3万平方千米,占全疆面积的9%,是新疆第三大地州(伊犁州除外),分别比江苏、浙江、安徽、福建等几个省的面积都大。横亘中部的东天山山脉将哈密地区分为山南、山北两部分,山南有哈密地区的政治、经济、文化中心哈密市,山北有巴里坤、伊吾两县。

从3亿多年的古生代至今,哈密盆地经历了由海盆、湖盆到陆盆的地质演变过程,形成了目前丰富多彩的地形地貌和复杂的地质构造。哈密绿洲四周大都是戈壁荒漠,东天山以南的一片广阔的石质荒漠地带,古称莫贺延碛,现代一般人们将其称为南湖戈壁。1000多年前,唐玄奘法师西去取经,出玉门关后遇到的800里流沙河,就在这块地方。越过戈壁,东边是甘肃省的安西县,东南是敦煌,最西边与鄯善县相连。南部在一连串起伏的丘陵和山地处,以历史上有名的白龙山(库鲁克山)与若羌为界。

白龙山以南,就是有名的罗布泊和已被风沙埋没的楼兰古城。这片广阔的戈壁荒漠,虽然寸草不生,却蕴藏了新疆最丰富的大漠石资源。同时,由于312国道和兰新铁路穿越哈密,不仅带来了交通上的便利,同时也带来了信息交流和人员流动。

故 20 世纪末,哈密拥奇石资源之丰富,得内地赏石之风气,迅速兴起了奇石收藏热潮,并波及和辐射到了鄯善、乌鲁木齐等地,形成了目前哈密独特的赏石文化,成为了全疆最大的奇石产地和重要市场。

崇尚自然,返朴归真,这是人类社会和经济发展到一定水平和阶段后思想和情感的需求。作为一种自然天成的艺术品,奇石不仅满足了现代社会人们这种思想情感的需求和表达,更是一种物质生活水平提高的表现。"盛时收藏,乱世饥肠。"哈密赏石文化的兴起,不能不说首先得益于改革开放后人民群众生活水平的提高和居住条件的改善,使人们有了崇尚自然的一种精神需求。当然,这里面并不排除奇石收藏和贸易所带来的巨大经济利益和保值、增值的目的,这也是市场经济条件下人们商品意识提高的一种表现。

哈密赏石文化的初始阶段

20 世纪 80 年代中期至 1998 年是哈密赏石文化发展的初始阶段。这一时期所表现的特征为对奇石的

南湖艾壁新发现的汉白玉

商品意识还不强，或因内地的影响而收藏，或以单纯的好奇、好玩而作为收藏目的，本地人之间很少有奇石交易，奇石的买卖大多发生在外地石商之间。

哈密人最初认识木化石等奇石的价值也许得从1958年那场声势浩大的大炼钢铁开始。据老一辈地质工作者回忆，在当时那种热火朝天的社会背景下，由于可炼的铁矿石都已炼完，没有发现新的铁矿石资源，一些人在哈密大南湖戈壁看到类似于铁矿石的铁化木时，就利用南湖丰富的煤炭资源，把铁化木砸碎，放到土造的炼铁炉中炼造钢铁，钢铁没炼成反倒引燃了南湖煤矿的煤层，一烧就是几十年，造成了极大的损失。

哈密早期的奇石开发、收藏和交易，主要是受内地的影响，一些上海等外地石商的到来，也一定程度影响了本地人。最早到哈密拉运奇石的是一个台湾人，20世纪80年代，此人在地质人员的带领下在哈密南湖戈壁雇人捡石头。据说当时雇了30多人，共捡了几卡车，其石头的质感之细腻、色彩之丰富，令人叫绝。1998年笔者和知情人到那里时，只拾到拳头大小的一块，奇石估计当时就被采拾一空，其具体位置在南湖乡以南十几千米处公路东边的一片戈壁上。

马蹄山的风凌石是新疆最早被开发的石种，也是内地人认识新疆奇石的最早品种之一，有十几年的开发历史。

据哈密奇石收藏爱好者朱仁卓、曹国伟介绍，哈密马蹄山风凌石最早是由上海人开发出来的。

1989年，一个叫杜盘根的上海人代表上海市政府有关部门到位于哈密市170多千米的雅满苏矿慰问上海支边青年时，听说马蹄山有风凌石，由雅矿人陪同到马蹄山进行考察，并带走了几箱风凌石，此人回上海后，对马蹄山念念不忘。

一年后，就介绍了金贤荣来哈密，此后又有许余良、张永义等上海人到雅矿开发这种奇石。当时主要是由地质六大队及雅矿的当地人根据他们的要求到山上拉运，由他们验货后再发到上海，也有哈密人直接送货到上海的情况。这期间上海电视台拍摄了介绍哈密风凌石和木化石的电视片，并在上海卫视播出。

1997年以后才有北京、西安、四川、兰州等地的石商采购风凌石。

哈密的奇石收藏群体，主要集中在铁路地区和雅满苏矿。由于哈密铁路系统的干部、职工来自于全国各地，同时也由于经常外出，见多识广，有集邮、藏币等收藏传统，加之雅满苏矿区邻近马蹄山，故形成了一股小小的收藏奇石的风气。1998年5月笔者因工作关系在矿区采访时，就走访了十几家，摆放的都是早期马蹄山的玉质、玛瑙质风凌石，也有一些水晶、发晶和蛋白石。

这一时期哈密收藏奇石最全面、精品最多的是一个姓石的老人。此人早年由于工作关系常年在野外，他收藏奇石没有偏见，当时摆放在他三个房间架子上及院子中的奇石有上千块，硅化木、风凌石、戈壁石、蛋白石、矿标、化石应有尽有，每一个品种都有精品，都被擦得干干净净，有些还安了木托。后来由于他老伴生病，将全部藏石都处理了。虽然可惜，但不能不说是他收藏的奇石救了老伴一命。

在这一时期，一些单位也将奇石作为盆景

材料或园林建设的一部分,主要有哈密人民公园内摆放的硅化木,三道岭矿务局办公楼前的硅化木、伊吾县文化馆门前的一块巨型玛瑙。哈密市腐植酸厂、电大宝玉石加工厂还用硅化木、风凌石制作盆景,送给来访的客人。当时哈密从事奇石收藏的人数已有几百人。

哈密"奇石收藏热"的兴起阶段

1999 年至 2002 年是哈密奇石收藏热的兴起阶段。其主要特征是奇石收藏人数激增,奇石市场交易活跃,本地奇石资源和品种的开发完成。

1999 年 4 月,一个马姓回族人在哈密人民公园南门西侧开设了哈密第一家奇石馆,其馆名由新疆书画研究院院长闵荫南先生题名,主要经营奇石根艺。当时进店里参观购买的人有三类:一类是感到好奇,认识到了奇石的观赏和经济价值;另一类是不了解,有些人对石头也能当商品感到不可思议,而且这类人占到一半以上;第三类是奇石爱好者。当时购买奇石的人主要是一些外地人,本地人对购买几十上百元一块石头确实也不可能接受。

当年年初,当时的地区领导在内地考察时发现外地都有花鸟市场,就指示哈密市开设一个市场,专门经营花鸟鱼虫和奇石,以丰富哈密人民的群众文化生活,并给予了减免税费等优惠政策。6 月份后哈密花鸟鱼虫市场正式建成,一些经营者陆续进场经营,"十一"期间,一些奇石爱好者自发在该市场三楼组织了一次小型的奇石展览,这次石展虽然仅仅展出了 100 多块奇石,但当时由于新闻宣传和市场炒作的影响,在哈密引起了不小的轰动,自此,可以说拉开了哈密奇石收藏的热潮。

利用硅化木等大型奇石美化城市和公园、宾馆、餐厅等已成为哈密一景,图为哈铁公园内的木化石。

哈密城市内的路牌都是大型石头,为这座城市增添了石文化的氛围。

最初,在此市场中经营奇石的商户不到10家,受此奇石收藏热影响,后来一些经营花鸟鱼虫的店铺纷纷转向了奇石,最多时达到30多家,地摊和铁皮铺有40多户。每到双休日,这里可谓人山人海,生意火爆,一些市民受此影响纷纷加入到奇石收藏者中;一些外地人,特别是乌鲁木齐、兰州、上海、柳州等地石商也纷纷到这里购石。同时,奇石市场的繁荣进一步刺激了一些探石者,大家纷纷下戈壁寻找石头,火山岩、泥石、千层石等大漠石新品种不断涌现,但市场仍主要以木化石为主,约占销售额的80%以上。到2000年底,大南湖戈壁、十三间房南部(沙尔湖红山)的木化石已被采拾一空,2001年底沙尔湖的表面木化石和马蹄山风凌石也已枯竭。

由于原来的花鸟鱼虫市场已远远不适应奇石市场发展的需要,特别是由于该市场处在时代广场,交通运输不便,加上店铺比较少,无法扩大经营,2002年2月,在市政府支持下,哈密商业集团积极运作,在邻近铁路和地方交汇的远通市场开设了"远通奇石文化城",当时进

驻的商家就有50多户,中国收藏家协会和北京、上海、广东、台湾乃至韩国、马来西亚、泰国等国内外的赏石团体也发来了贺信,哈密奇石受到国内外奇石爱好者的广泛认可。

为适应哈密奇石文化的发展,满足奇石爱好者的愿望,进一步规范奇石收藏活动,2002年12月14日,哈密观赏石协会正式成立,哈密地区有关部门负责人及奇石爱好者100多人参加了成立大会。

到2002年底,哈密地区奇石从业人员有近两千多人,仅在哈密远通和花鸟两大奇石市场上的奇石商店就有100多家,每年吸引着几万名本地和区外游客前来购石、赏石。远通奇石市场成了当时全疆最大的奇石交易市场,哈密奇石产业初步形成,并形成了采石、运石、销售、配座等一条龙服务。

哈密赏石文化的初步成熟阶段

2003年开始,是哈密赏石文化发展的初步成熟阶段,其主要特征是:奇石精品的理念增强,精品与一般奇石价格相差几十甚至上百倍;不以

石种论奇石价值高低；由于资源枯竭，鄯善、内蒙古乃至蒙古国、缅甸等的奇石大批量进入哈密，哈密成为了国内重要的木化石集散地之一。赏石文化影响到了社会生活的各个方面。

2003年1月，由哈密观赏石协会组织，哈密领先实业有限责任公司提供赞助的"领先杯"首届哈密藏石珍品大赛在新落成的哈密南粤文化中心举办。这次石展可以说是全疆规模最大、品种最多、石文化水准最高的藏石珍品大展，展会共展出奇石精品1000多块。自治区有关部门和地区领导及上百名奇石爱好者参加了开幕仪式，各界参观人士络绎不绝。

这次珍品展不仅是哈密奇石精品的集中展示，也使奇石爱好者进一步增强了精品意识。

几年来，受赏石文化发展的影响，乌鲁木齐铁路局在全疆各大车站发售了以哈密大漠奇石为主的站台票，并编印了精美的《哈密大漠奇石纪念站台票》。哈密市广东援疆工作组编纂了《哈密奇石》大型画册，向全国特别是在广东广泛宣传哈密大漠奇石，大大提高了哈密奇石的知名度。

受赏石文化的影响，奇石不仅走进了寻常百姓家，同时哈密的一些景点、路标，甚至宾馆、餐厅、书店中都

哈密铁路分局院内的巨型景观石。

有石文化的影子，比较突出的有广东路、融合路、天山南路的巨型石头路牌石。哈铁公园、分局办公楼前、时代广场、伊吾宾馆等摆放的都是大型木化石或园林景观石，哈密的一些宾馆、饭店、书店大厅中更是以摆放奇石为时尚。一些高档客房中也摆放有奇石几架。一些私营企业老板，如长联公司老总韩俊平先生更是早期就花费 6 万多元购买了一块大型风凌石摆放在办公楼内。赏石文化的发展不仅丰富了人民的文化生活，更提高了哈密的城市文化品位，也为哈密打造了"哈密大漠石"这一亮丽的城市文化名片。

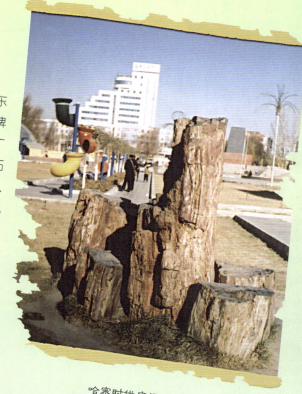

哈密时代广场一角

纵观哈密奇石文化的发展，不能不提到哈密奇石经营者的努力。目前，哈密的奇石经营者，大多数是下岗失业人员，他们有时到南湖戈壁探石，有时远到内蒙古、东北、云南拉运硅化木，其中的辛苦只有他们自己知道。而那些五堡乡、火箭农场的农民也是在农闲时为了增加收入冒险到戈壁中探石。正是由于这些奇石从业人员冒着生命危险到戈壁大漠中探石、运石，才有了哈密赏石文化的发展，人们不能只看到他们所获得的丰厚利润，更要理解他们的艰辛。

近一两年哈密奇石爱好者人数没有进一步增长，奇石市场由于资源枯竭等原因面临着萎缩，一些奇石经营者不得不到外地开店或参加石展销售奇石。哈密至今还没有一个集中展示大漠奇石精品的奇石馆，以便让国内外游客和奇石爱好者感受哈密奇石的魅力。如何进一步更高层次地推动哈密石文化的发展，是一个值得思考的问题。

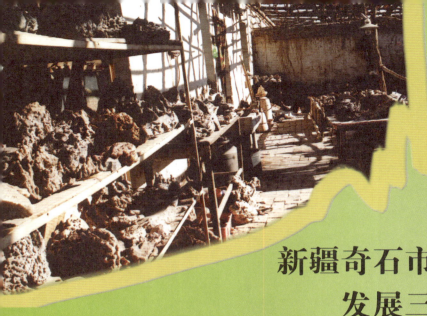

采石人院
中待价而沽的
奇石。

新疆奇石市场
发展三阶段

新疆奇石开发起源于 20 世纪 80 年代中期。20 世纪 90 年代末，随着国内旅游业的发展及赏石文化活动的普及，一些地方的奇石专业市场相继建成。此后短短的几年间，拥有辽阔地域、丰富资源的新疆赏石人数激增，奇石市场迅猛发展。

现在，新疆已形成以哈密、鄯善、乌鲁木齐为代表的三大产业市场。据不完全统计，截至 2003 年底，全疆奇石专营店铺达 400 余家，直接（采、供、销）从业人员超过 5000 人，年销售额达 3000 万元。

纵观新疆奇石市场发展的全过程，大致经历了接触萌动期、市场发展期和产业发展期三个阶段。

接触萌动期

20 世纪 80 年代中期至 90 年代末为接触萌动期。80 年代中期，东南亚及国内发达地区的赏石市场蓬勃发展，产生了较大的石源需求，台湾、上海、北京等地的一些石商来到新疆哈密、鄯善等地寻找新的石源。通过亲朋好友及地质队员的帮助，首先对当地的硅化木和风凌石进行捡采、贩运，如哈密大南湖硅化木、马蹄山和鄯善卧龙岗（风凌山）的风凌石就是在这一时期开发的。当时由于信息闭塞，奇石概念尚不为人知，大家只感到新鲜、好奇和不解，个别人上山按石商要求捡石，廉价批量发货，几毛钱到数元钱不等论千克计价，或几百、上千元一车，现在看来的廉价在当时是不可思议的收获。随着交往的增多，可观利益驱动，一些人渐渐了解了奇石及硅化木的价值。

1995 年后，哈密逐渐出现大批量的采石、藏石活动，私下交易萌动，后期出现奇石店铺和零散销售。这期间参与人数极少，年交易量小且不稳定，一般在十几万元至数十万元左右，石种较单一，无固定交易场所。

市场发展期

20 世纪 90 年代末至 2002 年初为市场发展期。这一阶段的标志是奇石市场的出现，市场旺销并迅速扩展，大进大出，利润丰厚，交易量逐年提高。

1999 年底，哈密花鸟鱼虫市场、乌鲁木齐地矿局宝地宾馆率先出现奇石专营店。两年间，奇石经营户由最初的十余家迅速扩展到近百家，年交易额由最初的 300 万元左右猛增至 1000 多万元。

购买理念初期以追求新奇为特征，形奇具象为上，出现"百石争鸣"局面，但从数量来讲以硅化木、风凌石和戈壁杂石为主，后期有的石种因石源供给乏力，从市场中自行消失。

赏石理念随着文化活动和信息的增大而逐渐形成，在鉴赏实践和交易活动中精品意识渐醒，早期老货购销价格急剧攀升。如约 30 厘米高形质较好的硅化木，收购价由几十元暴涨到了上千元；一块 40 厘米见方的南湖硅化木景观石竟卖到 90 万元，创下单品交易的"天价"。

资源丰富，产销两旺。市场的迅速扩展是以大量的石源为依托，多地域、全方位、掠夺式的开发是本阶段的特点。

新疆地域广袤，气候独特，戈壁面积居全国首位，除硅化木、风凌石外，新石种不断涌现。如玛瑙、碧玉、泥石、钟乳石、戈壁玉、火山岩等，晚期多数石种濒临枯竭。投资小、见效快、获利丰厚使得资源临近地的乡镇迅速发展成为奇石专业村。

如以盛产风凌石而闻名的鄯善县七克台镇南湖村，近百户农民八成以上从事奇石采销，年销量达 300 多万元。赏石活动的普及，使得疆内其他一些地区新石种频现，如北疆阿尔泰山的绿柱石、额尔齐斯河卵石、玛纳斯河卵石、乌鲁木齐河石；南疆的阿克苏河卵石、和田卵玉等。

赏石群体活动积极。此阶段奇石的赏玩、收藏和经济价值已逐步被公众所认同，市场活跃，赏石队伍激增，群众性赏石团体纷纷组建，石展频繁，赏石文化的交流又进一步促进了市场的繁荣。

产业发展期

2002 年初至今属产业发展期。这一阶段的特点是市场进一步扩容，产业规模初具，市场分异显著，销售量稳步提高。以哈密远通奇石城、乌鲁木齐民街奇石城、国际大巴扎旅游城奇石馆的建成为代表，标志新疆奇石产业发展迈出了可喜的一步。

两年间，三大市场的建立使得新疆奇石经营店铺，由过去的 180 家激增到 2003 年的 400 多家，年销售额达 3000 多万元，产业化格局基本形成。

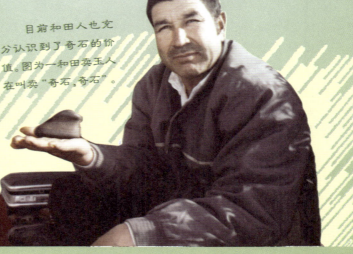

目前和田人也充分认识到了奇石的价值。图为一和田卖玉人在叫卖"奇石、奇石"。

采石农民家中是许多奇石
爱好者常去捡漏的地方。

产业化发展的另一特征是资源地方依赖性的打破，随着主打石种——硅化木疆内资源的日渐枯竭，依赖国内其他省份和国外资源的补给接替已成为现实。据不完全统计：2003年，哈密、乌鲁木齐从内蒙和蒙古国购进的硅化木数量占总购进量的50%和70%左右（不包括从辽宁和缅甸的购进量）。

市场分异显著。第一，石种分异。市场主打石种凸现，其他石种相对冷落，如玛瑙、风凌石等，特别是相对成熟的哈密市场，石种销售分化，硅化木年销售量约占总量的85%，大有硅化木一统天下的趋势。究其原因，一方面硅化木具有独特的身世，亿万年树变玉的精灵，千百年风与沙的洗礼，若干回舆论保护的强音，都给它蒙上了一层层神秘的面纱。另一方面硅化木的确具有良好的综合品质、鲜明的地域特色及相对稳定的资源量。第二，价格分异。形

奇、质优、意蕴深的精品价高，走势良好，数万元、数十万元屡见不鲜，购者多为眼力、财力俱佳的行家。中档商品石畅销，价位一般在数百元、数千元，购者多注重树形结构、木质感和体量大小。低档硅化木往往滞销。第三，经营效益分异。经营效果差异拉开较大，财力强、进货渠道多、眼力佳的商家，生意兴隆。店面装饰典雅豪华，注重演示效果，陈列方式由厅堂式发展为馆藏式；反之，石品低下，货柜陈列，苦苦硬撑，惨淡经营。

从奇石收藏近20年风雨兼程的发展史可以看出，新疆奇石市场目前仍处于初级快速发展的繁兴期，市场空间广阔，一些极具潜质的石种尚未真正被市场所认可，一些偏远地区的资源尚待进一步开拓，相信随着西部大开发和新疆旅游业发展，奇石这一新兴的朝阳产业将会焕发出更加耀眼的光芒。（文/方伟）

清代文人对大漠
戈壁奇石的赏玩

出产于新疆、内蒙古等西北大漠戈壁深处的风凌石、硅化木等大漠戈壁类奇石,其出产地自然条件恶劣,数百千米范围内无水、无草木,常年干旱、荒无人烟,交通极为不便,古代极少有人能涉足其中。因此,它们既不能像太湖石、灵璧石、雨花石等为古人所知,更不能在《云林石谱》、《太湖石谱》等古代赏石文献中所记载。一般认为,大漠戈壁类奇石是近些年来被地质工作者首先发现和认识,并开始被广大石友赏玩。

近年,笔者在查阅有关清代文献资料时,发现了清代一些学者和书画家对这类奇石的记载。这些史料充分说明,戈壁类奇石虽然未被以往石谱所记载,却是一个古已玩之的石种,至少在清代嘉庆年间这类奇石已被一些文人雅士所认识和赏玩。

祁韵士(1751 年~1815 年),字谐庭,山西寿阳人。乾隆四十三年(1776 年)进士,改翰林院庶吉士。曾任户部主事、员外郎等职,嘉庆六年(1801 年)官宝泉局监督,嘉庆九年(1804 年)因宝泉局亏铜案发,发往新疆伊犁当差。当年二月他从北京出发,八月底达伊犁,著有《万里行程记》,他在途中特别是对新疆沿途山川风貌的记载,是我们了解当时新疆地理

的重要文献。他在从哈密至鄯善行程中,对戈壁上的瀚海石(即风凌石)有过详细的记载,其文中称:"由哈密西行六十里至头堡,三十里至二堡,再三十里至三堡……西行九十里至三间房,

清代画家陈豪的设色绢本团扇《瀚海之英》,描摹了一片瘦峭的戈壁石(瀚海石)。

坡岭登降,索费马力,沙岗上乱石纵横,色如猪胆。又有紫中透绿者,叩之,其声清越如磬,即瀚海石也。西南行一百四十四里至十三间房,在沙中,自三间房至此,途中云有风穴,古谓之黑风川。"这段记载,至少说明在清代人们就对沙漠戈壁类奇石的观赏价值有了认识。

文中所指的"瀚海石"即今日的风凌石。在清代一般将沙漠戈壁中所出产的奇石统称为瀚海石。作者在文中所指的三间房、十三间房处于新疆最著名的"百里风区"中心,全年 8 级以上大风天数达 136 天,年平均风速达 7.9 米/秒,居全疆之首,经常造成铁路、公路停运。2003 年国家投资上亿元对这段兰新铁路进行了提速改

哈密雅丹地貌

沙海浮舟

造，修建了近 10 千米长的防风墙。

这里特殊的气候和地理环境是形成戈壁类奇石的重要条件。十三间房火车站以南 80 千米处发现过大面积的硅化木，这一地区发现的风凌石，主要是哈密四堡、柳树泉的农民在拉运，其石质不同于马蹄山等地的风凌石。

近代画家陈豪（1839 年~1910 年）作于 1886 年的那幅名为《瀚海之英》的设色绢本团扇画面，描摹的便是一片戈壁石瘦峭皱褶的形影。案戈壁石（风凌石）未见以往史籍石谱记载，旧时又称瀚海石（或西域石）。画家在画跋中写道："案瀚海石皆浮生无根，着风沙薄磨，逾历岁月，悉光润莹洁若玛瑙。兹独纤瘦有皱，俨若灵璧而光彩绝伦（♀），信可宝也。"给予戈壁石以很高的评价。

除风凌石等戈壁石外，木化石特别是产于沙漠戈壁中经风沙长期研磨具有一定造型的木化石在清代也有赏玩，虽不见于古籍的记载，但由美国著名供石收藏家伊恩和苏珊·威尔逊夫妇收藏的一块清代扬州藏书家马曰璐的遗石"小玲珑"至少证明了清代对木化石的赏玩和认识。这块木化石高 20 厘米，宽 9.5 厘米，厚 6 厘米，虽然其产地目前无法考证，但从其造型来看是沙漠戈壁中出产的无疑。当然我们也不排除清代供石中有一部分是人为加工过的，但此石至少说明人们对木化石的赏玩古已有之。

以上三例文献和实物资料证明，风凌石、木化石等西北所特有的大漠戈壁类奇石，虽然古今称谓不同，但至少在清代嘉庆年间就已开始赏玩，并形成了风气，并不是现代人们才认识此类奇石的。这也说明了古人早已认识和了解此类奇石的收藏价值。

美国收藏家收藏的一方清代扬州藏书家马曰璐的遗石"小玲珑"木化石，说明清代就已开始对木化石进行赏玩。

投资鉴赏篇

新疆奇石收藏与鉴赏

The collection and appreciation of rare stone in Xinjiang

奇石价格知多少

常言道：黄金有价石无价。特别是一些奇石绝品、神品，其价值连城。古时有一方奇石换取一座庭院之美谈，而今以一方奇石换取一座别墅并非鲜见。随着赏石热不断升温，赏石人数不断增加，人们的投资观念日趋成熟，一些人也加入了奇石收藏投资领域；一些地方政府和企业，为树立城市文化形象和构建企业文化，纷纷投巨资建立大型奇石馆，从全国各地不惜高价购进奇石珍品入藏；一些海外石商看到大陆奇石市场正在逐步发展，价格还不高，大量购进奇石；一些人甚至断言，未来奇石珍品的价格将与当今书画大师的佳作一样。一些奇石珍品持有者，视藏品为"传家之宝"、"镇国之宝"而精心珍藏，爱石如命，面对高价无动于衷，令局外人不可思议。

以上一些现象的出现，使奇石珍品的价格近几年越炒越高。同时，当今石界由于市场还不成熟，人们对一块奇石的不同认识和看法，有时因交易时间、交易对象的不同，出现了价格差距。一些人为了抬高自己奇石的身价，动不动就几万，甚至几十万的喊价，使

市场产生了一些假象，其实还是那句老话：黄金有价石无价，买卖成交即是价。目前，赏石界一部分人孤芳自赏，自以为所收藏的石头件件是精品，一件可卖多少钱，但真正高价成交的能有几件？笔者根据近几年收集的资料和调查了解，略举数例国内奇石的成交记录，供爱石、藏石者参考，以免有些珍品低于市价销售，同时也希望一些石友正确对待自己的藏石，不要动不动就喊"天价"。

一

据《收藏》杂志报道：祖国大陆第一次奇石拍卖会1995年中华奇石珍品广东拍卖会在深圳举行。一块由郑州奇石王国奇石馆馆主李广岭先生提供的藏品马头石，以8万元起价，最终以18万元的高价被人"夺"走；一块重达

奇石市场中的地摊。

新疆民街奇石市场中的和田卖石人。

96.8 千克的名为"鹰睛猫眼石"以 27 万元的高价拍出；一块不到 10 厘米的被命名为"彩云归"的卵石，被一藏石家经十几个回合的争夺以 7.8 万元拍得。整个拍卖会历时 3 小时，90 件拍品，89 件拍出，成交总额为 118 万元。

据《收藏》杂志介绍：由于南京雨花石自 20 世纪 80 年代以来就被广泛地宣传、研究、介绍、展览，使雨花石的名声和价格倍增。在 1995 年金陵艺术品拍卖会上，4 枚小小的有四季图案的一套雨花石以 5 万元成交。夫子庙的一枚雨花石以 3000 美元被外国人购去。

泰国奇石馆馆长周镇荣著文介绍：1994 年 5 月间，佳士得在香港的拍卖会上有一块灵璧石创下了 8.6 万港元的价钱，而同期苏富比拍卖会上推出 13 块以太湖石和灵璧石为主的奇石反应也不俗，其中一块以 10.3 万港元卖出。在西方世界，奇石也有知音，苏富比 1993 年在纽约拍卖奇石，其中一块太湖石以 7.1 万美元卖出。

1994 年在天津举办的第三届中国盆景评比展览会上，博山一方神韵绝妙的博山文石，被著名画家范曾先生看中，以 3 万元购去。一方题为"绝崖万壑钟灵秀"的博山文石，范曾

先生观之也颇为欣赏，以 5000 元购去，并赠墨宝一帧。

据广西《合山奇石》杂志报道：1993 年，外地客商从一农户家以 4 万元人民币买走一块象形绿玉石，他转手又以 20 万元人民币卖给另一石商，合山奇石从此身价倍增。

1997 年 6 月，中国嘉德国际拍卖公司在北京以 42.9 万元高价拍出了"回归"石，这也是奇石在国内一级艺术品市场上的首次拍卖，当时备受国内外收藏界瞩目。

1999 年在柳州首届国际奇石节拍卖会上，一块形同"茅舍"的奇石最终以 12 万元成交。

二

进入新世纪以来，随着赏石人数的大增，奇石的价值特别是一些精品奇石的价值被人们广泛认识，一些企业家的加入，更是推波助澜，掀起了一浪又一浪的奇石价格高潮。如果说 20 世纪末奇石还在以五位数、六位数扮演着收藏新宠的话，那么本世纪初它以七位数频频亮相，已是一匹在艺术品市场上成长的"黑马"了。

据 2001 年的《北京晚报》报道：由 70 多岁高龄的张靖先生采自于内蒙古玛瑙湖的一方

名为"雏鸡"的戈壁玛瑙，重量不足百克，经中国宝玉石协会副会长、北大宝玉石鉴定中心杨主任等专家鉴定，评估价值高达1.3亿元。张靖收藏的包括"雏鸡"在内的1066方精品石及531箱大漠戈壁石，已无偿捐献给北京市政府，在北京民俗博物馆安家。北京市政府对张靖先生因购石所欠的几百万元债务进行了偿还。

据广西《石道》杂志报道：2002年末，在广西大化县岩滩镇，大化彩玉"红河魂"以68万元成交。

据广西《石道》杂志报道：2003年非典期间，大化彩玉"盘古"以228万元出手，购藏者高津龙先生将其命名为"烛龙"。这是截止到2004年年底国内单块奇石成交的最高纪录。

估价为9600万元的玛瑙石"岁月"。

据新华社消息：2004年西部奇石收藏家赵立云的戈壁玛瑙石"岁月"被权威专家估价为9600万元。在2004年7月举办的庆祝中国民间文艺家协会奇石专业委员会成立而举办的中国奇石珍品展上，"岁月"吸引了众多人的目光。

据《石道》杂志报道：2004年一棵原产于新西兰，重达80吨的水冲类贝谷杉木化石，由在台湾被誉为"经营之神"的王永庆先生出资1亿台币（约合2300万元人民币）收藏，在两岸造成了极大轰动。

2004年11月，中央电视台二套《鉴宝》栏目中，一块重达9千克的辰砂晶体，被现场专家

估价为80万元。

据广西《赏石》杂志报道：在2004年中国银川"圣雪绒"杯奇石展销节上，一块石面上有如阿拉伯文字，译为"安拉最伟大"的黄河石以80万元人民币被一穆斯林购藏，创下了黄河石在国内市场上的最高纪录。

赠给北京市政府。

估价为1.3亿元的玛瑙"雏鸡"，已捐

三

近几年，新疆奇石更是在全国奇石市场异军突起，据报道：首先是以和田羊脂玉为主的和田玉，随着资源日益减少，其价格越来越高。目前上等的和田白玉每千克可达20万元左右，而和田玉奇石的价格也在逐渐上升。据称2004年有人从一采玉人手中以5元钱的价格购买了一块和田玉奇石，转手以10万元的价格卖给了一台湾石商。

在国内奇石市场中，新疆奇石特别是新疆大漠石越来越受到一些购藏者的青睐。本世纪初一块40厘米长的山形哈密南湖硅化木以90万元的价格被一上海人购去；一方早期的马蹄山风凌石在内地更是创下了60万元的成交价格。新疆玛瑙石、火山岩等种类的奇石也曾以高价转让。

目前在新疆奇石市场，市场销量和交易量及价格较高的当属硅化木，特别是产于哈密南湖煤矿附近的被称为老货的硅化木，一般都在几百元。如果风凌程度高，体型中量，价格可达几千元，而一些具象或景象的优质硅化木价

格都在万元以上。据估算，近几年仅在哈密本地，以万元成交的单块硅化木、风凌石、玛瑙、火山岩等奇石有二三百块。特别是 2004 年，随着人们精品意识的提高，一些奇石精品更是以 10 万元以上价格成交。据笔者所知，2004 年哈密有以下几块奇石成交单价在 6 万元以上。

"王"字石，产自哈密南湖，火山岩类文字石，年初以 13 万元成交，购藏者为青海一私企老板，据称目前此石在北京。

"蚕"造型石，为南湖早期老货硅化木，颜色为硅化木中稀缺的纯黄色，10 万元被内地一石商所购。

"关公"具象石，为沙尔湖红山所产的七彩硅化木，此石虽然体量不大，只有 16 厘米，但造型优美，6 万元被一内地人购去。

四

奇石乃天工造化之自然艺术，鬼斧神工，千姿百态，色纹形态之美举世无双，其绝妙神韵是任何人为艺术品所难以媲美的。

奇石贵在天赋之美，贵在稀有珍奇。普天下一石只有一个形态，它以其浓郁的文化品位，难以论定的鉴赏价值，悠悠无尽的奇情妙趣，令人视其为艺术欣赏的神品。加之起源于自然又高于自然，集知识性、科学性、艺术性于一体的特性，为当代人们的文化生活注入一股清泉，而以居室摆石为雅。因此，奇石珍品具有人为艺术品难以比拟的欣赏价值与收藏价值，故其商品性价值高昂就在情理之中了。

发现、欣赏、鉴别与收藏奇石必须具有较高的文化素养和艺术鉴赏力，发现并获得珍品并非轻而易举之事。

奇石珍品价格之高，往往令人咂舌。稀珍奇石纯系天然艺术品，非能工巧匠所为，是一种最难划定价格的商品。

其价格构成具有诸多因素，或以其稀有独特的艺术价值，或以其名人独具的社会价值，或以其历史珍贵的纪念价值，或以其久远罕见的年代价值，其价格既根据市场行情（包括国际行情）而波动，又因买卖双方喜爱程度而升落。

从某种意义上说，奇石价格带有一定的随意性，往往是只要买卖双方如愿即可成交，故有"黄金有价石无价，双方成交即是价"之说。这亦同字画、古玩、文物一样，其绝品的高昂价格令人不可琢磨，但并不是说，凡奇石价格均高。

奇石作为带有商品属性的交易品，与其他商品一样，其价格要适应市场经济的价值规律，这就需要一方面要防止售石者对某方奇石过分偏爱而漫天要价，出口就是几万、几十万甚至几百万，作茧自缚，难以成交；另一方面要严防鱼目混珠，以假充真，以次充好，欺骗、坑害消费者。

2003 年以 228 万元成交的广西大化石"盘古"（后题名烛龙）是目前国内成交价格最高的一块供石。

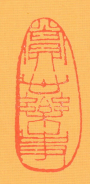

为什么具象（象形）
奇石越来越值钱

具象石是指石头的形状接近于写实类的奇石，按其形态一般分为自然景观石和人物、动物景观石两类。近几年，在国内奇石市场上，具象石，特别是人物、动物等象形石的价格越来越高，无论是精品还是一般似像非像的石头，不仅价格一路走高，而且购买的人也越来越多。

先是一块来自内蒙古鸡蛋大小的戈壁玛瑙"雏鸡"，被专家估价为1.3亿元；后又有一块像老妇人头像的玛瑙"岁月"，被估价为9600万元。虽然有价无市，但看到这两块奇石，不能不让人感到大自然的神奇。2003年更有一块名为"盘古"的象形石以228万元在广西成交，开创了国内奇石成交的最高价。目前以几十万元成交的具象石在国内已不鲜见。新疆大漠奇石更是如此，在新疆奇石市场，那些成交价高的几乎都是象形石，2004年在哈密高价成交的几块奇石都是象形石，一块巴掌大的"关公"硅化木也卖了6万元。

为什么具象的奇石越来越值钱，价格的合理性在哪里？其具有一般奇石的共性外，主要原因有：

一是这些奇石的雅俗共赏性。雅就是具有一定的文化价值，其意境和主题有深远的意义，俗就是是什么就像什么，石头结构形态奇特，纹理色彩富有美感，不但能被高层赏石文化人士垂青，同时也能得到普通奇石爱好者的认可和接受。

有时我们一般都强调奇石要具有悠远的意境，特别是抽象石类奇石，其意境一般都比较丰富，但由于奇石是一种特殊的艺术品种，奇石欣赏者的学识、修养、文化程度，以及偏好等不同，所以对精品的认识也有差别，有些奇石特别是一些抽象石，虽然也可称之为精品，但因其不像、不真而使一

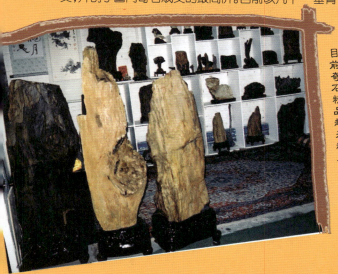

新疆各地的奇石商店是购藏奇石的主要场所，但目前奇石精品越来越少。

戈壁巨石『天雕』

些购藏者难以接受，这也许就是"曲高和寡"的缘故吧。而一些简单明了的具象石却有着广泛的群众基础，具象石由于其造型（画面）比较直观，人们一眼就能看出并评鉴其优劣，故带有普遍的接受性。

二是其主题及样式接近艺术品，故具有增值的潜力。一般的普通石头虽然接近于艺术品，但有些是似像非像，人们不得不取其神而弃其形，这样做是找不出更像人工艺术品的东西，而不得已为之的憾事。但七八分像，或者像"雏鸡"这样具有九成甚至十成酷似人工的"类艺术品"在奇石中不及亿兆之一，这也是其价格高昂所在。

三是这些奇石精品的稀有性。一方面指品种独特、奇巧、罕见的稀有，或在质、形、色、纹方面优于同类奇石；另一方面主要是形态的稀有。据专家统计：且不说一些天然形成的玛瑙具象

石和画面石，仅就在切片中发现的天然玛瑙画面石，在平均每 500 吨玛瑙切片中才能发现一块精品，数千吨玛瑙石中才能发现一件极品。全国各地玛瑙加工厂有数百家，经销玛瑙制品的商家有数万个，而购买者和观赏者更是以数百万计，而平均 3~5 年才能等出一片精品玛瑙切片来。很多人一辈子，或是有很多地方几十年没有出现过，至于绝品则要几年、几十年或上百年才能得到一片。偶然得之也纯属机缘，其难度和珍贵度可想而知。

其他石种也一样，所谓精品都可以说是百里挑一的东西，而绝品、神品更是世上仅此一件，有些石种中也许只有精品而不会出现绝品、神品，这就是为什么奇石精品难求，而绝品、神品有些人更无缘看一眼，也就是其价格一路飚升的原因吧！当然追捧的人多了，其价格也相应高。

值得投资的
新疆奇石

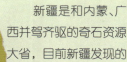

奇石是大自然赋予人类不可再得的宝贵财富。中华民族具有历史悠久的赏石文化传统，近十几年来随着经济的不断繁荣而逐渐复兴。

目前，全国各地赏石、藏石之风的盛行，带动了各种奇石贸易活动的蓬勃发展。在市场经济条件下，人的经济活动都带有投资、盈利或保值、增值的目的。

作为奇石贸易和收藏活动，特别是一些古石和精品奇石作为一种艺术品（或类艺术品）有进入艺术品拍卖市场的趋势，投资奇石被越来越多的人看好。

近几年，中国的艺术品市场正在走向成熟，而奇石就是其中一支受到关注的新宠，仅2004年国内艺术品市场总成交额就达30亿元人民币。过去的奇石消费动机，只是装饰、摆设、爱好和馈赠，讲究的是经济实惠。由于奇石精品价格不断提高，一些有眼光、有实力的投资者，看到奇石有巨大的升值空间，也在从股票市场、收藏市场转到奇石市场，这将进一步激活奇石市场。

可以这么说：如果过去是奇石中间商以量取胜，赚取巨大利润的话（开店销售、批发、参加各地石展），那么今后奇石市场的巨大利润空间将以质取胜，投资奇石特别是投资奇石珍品、绝品将是一些投资者的重点。

新疆是和内蒙、广西并驾齐驱的奇石资源大省，目前新疆发现的

新疆石友到韩国参加国际石展，不仅开阔了眼界，也让国外石友认识、了解了新疆奇石。

哈密某私营企业主以6万多元人民币购藏放在办公楼内的风凌石。

有观赏价值的奇石品种一百多种，以哈密硅化木为代表的新疆大漠奇石和内蒙古葡萄玛瑙为代表的戈壁石、广西大化为代表的广西奇石一样，越来越受到国内奇石市场的推崇，占据了国内近一半的市场份额，特别是在国内精品奇石市场中，都有着举足轻重的地位。但我们不能不看到，新疆大漠石精品同他们相比，其价格无论在奇石一级市场还是二级市场差距都比较大，葡萄玛瑙、大化石精品成交价在几十万元的已属平常，上百万元的也不鲜见。但目前新疆奇石精品据笔者所知，在本地成交的除早先以90万元和60万元成交两块外，最高没有超过20万元。

这种差距的存在从投资的角度来看，却是一种机遇，是投资新疆奇石精品的最佳时机。投资新疆奇石，笔者有以下建议供参考：

一是要投资新疆大漠奇石精品，特别是硅化木中主题鲜明，造型、质地、光泽优秀，具有丰富文化内涵的精品。

就目前市场认可程度来说主要以具象石为主。那些只有树木特征，而不具有造型变化的

树墩子，其投资增值潜力不大，至于风凌石、戈壁石、泥石、果子化石等，只要是精品将来同样具有巨大的增值潜力。

二是投资和田玉奇石精品。目前和田玉奇石的市场认知度、宣传还不到位，不被人广泛熟知，其价位也比较低。据笔者调查，前几年除一块名为"奥运"的玛河石在洛阳石展中以1万元成交外，玛河石、额河石的成交价还没有突破1万元的。但和田玉奇石不同，笔者认为，以新疆和田玉在中华文化圈中几千年的文化底蕴，以及在国内外的知名度，和田玉奇石如果宣传到位、精品拉动，其未来的潜力不可估量，必将在新疆奇石中独领风骚，在国内图纹石类奇石中占有其应得的地位。

图纹石（卵石类奇石）从资源量上来说，世界上有河流、湖泊的地方都有可能发现，具有丰富的资源量，其精品的数量具有不可确定性。至于和田玉，全世界只有在新疆和田一带才有发现，而且目前资源量正在减少。据称目前和田白玉的仔料在玉石市场平均为每千克20多万元，极品羊脂玉每克在1200元以上，每年出产

的和田白玉不足50吨。但作为奇石投资来说，要转变观念，不在价格已经很高的玉石上做文章，而应将眼光放在和田玉奇石上。

目前，有人认为部分新疆人早已意识到了这点，价格也已上升，但根据笔者收藏大漠石的经验，两三万元是高价，10万元、20万元也是高价，问题的关键是价格是否达到了其本身所具有的价值上。

据笔者调查了解，目前和田玉奇石价格虽有上扬，但同新疆早期大漠石的价格一样，其精品的价位还远远没有同一般奇石拉大距离。奇石市场的实践证明：这种距离越大市场越成熟，收藏者和投资者越理性。当然其未来的价值认可还有待于一批文化人的加入和市场的运作。

三不要把鸡蛋放在同一个篮子里。这句话是对理财者的忠告，同样适用于新疆奇石的投资者。收藏是一个专业，而不是一个嗜好，奇石投资同样有风险，世界上没有不存在风险的高利润。奇石投资应以余钱为主。不要有石种的偏见，所购奇石要具有丰富的文化价值。

四是投资要有长期的打算。目前奇石精品还没有真正进入艺术品拍卖市场，一些投资商和企业还没有将注意力放在投资奇石上，加上奇石精品认定的特殊性，不像字画、瓷器一样能通过拍卖来变现，笔者虽然认为奇石精品进入艺术品拍卖市场只是个时间早晚的问题，但这个时间也许要几年甚至几十年。

奇石市场中各
种各样的奇石

玩石杂谈

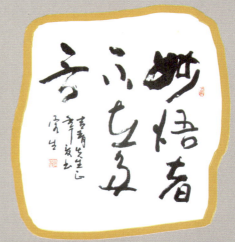

算起来我从事收藏活动也有十几年了，从最初的集邮、集币、玩古董到收藏奇石和字画，其间也走过了由杂到专、由专到精的路子。特别是 1998 年涉足奇石收藏以来，经历了一些风雨，有捡漏之乐，也有痛失商机的时候。近几年，随着赏石热的兴起，越来越多的人投身到了奇石收藏中，其间我目睹了市场的无情，也看到了石友们的喜怒哀乐，以下几个问题谈不上观点，只是一些杂感。

玩石应有一个好的心态

赏石、藏石虽然是一种高雅的文化活动，但也是在市场经济中逐步发展起来的，也得符合市场经济规律，说得更直白一点也就是一个"利益场"。

奇石市场也有它自己的特殊性，主要是奇石价格的不确定性，不像衣服、白菜等具有明确的价格。常常遇到这样的事情：到戈壁滩上捡石或到市场上购石，有人凭自己的眼力和缘分得到了好石头，挣了钱，有些人一无所获而怨气不断；在奇石交易中，卖的人当哪天听说自己售出的石头在别人手中以几倍、几十倍甚至上百倍的价格又转手售出时，就后悔莫及；而买的人某一天得知自己选购的石头能更便宜买到的时候也会后悔；有些奇石爱好者，捡了一个漏，就自以为了不起，甚至贬低对方。其实对一些靠捡石

为生的人来说，一车石头除去体力和投入的成本，能多卖几个钱就是利润，有什么不好理解的，大街上的小商小贩和商场里的老板们不也是这样做生意的吗？

近几年，我所认识的许多石友，尤其是一些早期从事奇石经营的朋友，都挣了钱，有些还发了大财。

但许多人却没有了平常心，有些自立门户，相互拆台；有些听到自己的石头被别人卖了大价钱，就骂娘，凡此种种不一而足。如果没有一个好的心态，以一个平常心看待奇石经营与市场，也许那个 50 元卖出石头又被人以 13 万元售出的农民早该血压升高住院了。

每个人的机遇、能力、认识和交际圈子是不同的。我常想，那块 13 万元的"王"字石在有些人手中恐怕连 1.3 万元都卖不出去，并且他还不知道去卖给谁，包括我自己也没那个能力。身在这个圈子里，不管别人是以什么手段、方式售出了，我认为该服人的时候就得服。所以心态一定要正常，既不要动不动喊天价，也不要听到谁"天价"卖了石头就血压升高。

笔者认为要正确处理和看待赏石藏石中的一些价格问题。人有些时候也得相信一个

"缘"字,人的机遇未到,能力认识不到,思想观念不改变,在这个"利益场"中活得肯定会累,何必!我时常在想:钱是什么?它除能满足我们的物质需求之外,也应当让我们的心情更好。如果玩石头累得生气甚至生病,不值得。

藏石不应有石种偏见

除少数人的喜好外,作为一个成功的石商和奇石收藏者,应该认识到世界上没有不好的石种,只有不好的石头,只有精品和一般石头甚至垃圾石之分。

纵观哈密奇石市场有这方面的深刻教训。1999 年至 2002 年,是哈密硅化木最热销的时候,不仅南湖戈壁大量的硅化木被开发出来,同时其他一些例如泥石、火山岩、玛瑙石等也进入了市场,但当时的市场只认硅化木,价格也被一些人炒得比较高。而那些质优价低的火山岩、玛瑙石被外地石商整车论吨拉走。

近几年,哈密火山岩在广东等地行情看好,一些人回过头来寻找时一无所获;前几年在哈密花鸟鱼虫市场和一些农民家里,好一些的玛瑙要价不超过 100 元,近两三年,随着内蒙玛瑙石在台湾、柳州的热销,一些当初在地摊上花几元钱购藏玛瑙的人成为了让人另眼相看的人物,而且目前哈密、鄯善等地奇石市场中的玛瑙又从内蒙运来。早些年开发的泥石、果子化石、千层石的命运都是如此。

几年前笔者在雅矿一工人家里看到其收藏的早期马蹄山风凌石有六七十件,其中有近 10 件精品,石主不愿分开出售,全部藏品要价只有两万元,后被一外地人购走。如果这些东西放到现在,其中最好的一件也能卖到两万多元。

不得不承认,前几年新疆奇石市场是在跟风,虽说什么石头好销开发什么,什么石头值钱就卖什么也没错,但盲目跟风就会错失商机。商机是什么?商机就是走在别人的前面,在大多数人还没明白过来时抓住机遇。

文化素养决定赏石的品位

一块石头,摆放在家里,不能吃不能用,它没有任何实用价值(当然用做压咸菜除外),如果当作观赏品来看的话,目前从工厂流水线上生产出来的工艺品五花八门,市场上花几十块钱就能买回许多,人们用不着花成百上千元

探石、藏石、品石已成为许多人的业余爱好。

奇石展览

去买一块石头。

那为什么现代社会有越来越多的人喜欢石头,加入到奇石收藏队伍中来呢？或者说奇石的价值到底在哪里？

这主要是人们喜欢奇石所具有的文化价值,或者说是人们赋予它的文化价值。它是现代人类社会思想情感和返朴归真、回归自然心态的一种表达和祈求。

奇石的文化价值,同时有科学艺术方面的,也有历史方面的。因此,这就要求赏石者能挖掘出其所蕴含的文化价值,使一块奇石不再是普通的石头,而是一件带有一定思想文化内涵的艺术品。

同其他艺术品一样,奇石也存在有第一形体和第二形体之说。第一形体指的是奇石本身所具有的造型、颜色、光泽等,而第二形体则是存在于奇石中的精神、气质、神韵,不可具体所指,只有靠赏石者去感悟,这也是奇石艺术得以成立的根本所在。

赏石者自身文化素养高,就能从在一般人看似简单的奇石中挖掘出精神文化内涵。

对奇石第二形体的鉴定,必须具有丰富的生活阅历和较高的艺术修养,一般来说能品出神韵的作品就是好作品,能够感受出作品的精神内涵,即感受出作品第二形体并能达到一定水准,赏石者自身的文化艺术修养和鉴赏水平也必然高。

有一个故事,讲的是九方皋相马的事情,九方皋相马由于注重其精神内涵方面,而对马的雌雄却不在意。正因为他注重本质、内在的东西,才相出了千里马,被人称为"伯乐。"

目前新疆赏石文化虽有了很大发展,但同柳州、银川、洛阳相比还有很大的差距,我想这种差距并不是我们新疆的奇石不行,而在于新疆奇石文化的研究和宣传推广不够,没有提升整个新疆奇石的文化品味,仅以丰富的资源来占领有限的市场;而他们不仅有一大批地质工作者、专家学者和文化人撰文研究介绍本地石种,将本地的奇石在全国宣传了起来,而且由政府组织举办国际性的奇石节。因为他们深谙赏石文化之道,而我们新疆人如果不更进一步研究和宣传推广新疆奇石文化,将来永远只有跟风的份儿。

木化石的收藏与鉴赏

木化石作为一种树木化石，既具有观赏石的一些特征，还具有一定的科研性，因此，在收藏和鉴赏时应综合地去认识了解。笔者认为一般应从两个方面入手：一是从其奇特的树木特征和科学性方面，二是从传统和现代赏石观方面。

从树木特征和科学性方面认识时，首先把握木化石的原生状态，所谓原生状态，是指树木的树干、树杈、树根、树结、蛀孔、年轮等保存完整，简单地说就是越像树木越好，越奇越好。一般来说，有四五个杈的优于一两个杈的，有十几、二十多个蛀孔的优于四五个蛀孔的，有年轮的要好于没年轮的。因为这样的木化石一般比较少见，符合物以稀为贵的原则，故收藏和科研价值也比较高。值得注意的是：近几年在新疆奇石市场，产于哈密沙尔湖的木化石因其表层经风沙磨砺的程度高。早在2001年就已被采拾一空，目前出产的都是从地层中挖出来的，一般都保存了原生状态，树形完整，但经过了酸洗、打磨、粘贴等，故收藏价值不高；同时，该木化石出产地埋藏的木化石估计有近万吨，资源储量巨大，也就失去了物以稀为贵的原则。

其次，在收藏中应注意树木在硅化、铁化、钙化过程中所产生的一些特殊化学变化。例如，在一些木化石中有琥珀化石和晶洞、石英脉等；一些木化石由于两种液体的不同成分形成一部分硅化，另一部分铁化、钙化；或一部分石英、方解石、黄铁矿等与木化石共生，一些树根和其上的须根以及树石相连的，以及一些枯木形成的木化石，这样的木化石比较稀少，也很奇特，是比较珍贵的。

总之，在收藏中应坚持越像树木越好和以奇为贵的原则。

同时在收藏中也要认真辨别真假化石，模树石在新疆比较多见，在岩石表面有氧化锰薄膜而成树枝状，有些人以为是树枝化石，当然一些图案非常美丽的木化石也具有一定的收藏价值。

位于深圳仙湖植物园中的化石森林，由400多株新疆、辽宁等地迁去的木化石构成，系目前国内规模最大的一座迁地保存的木化石森林公园。

新疆地区由于多荒漠戈壁，昼夜温差比较大，且多风沙天气，而木化石又多分布在人迹罕至的沙漠戈壁。当木化石由于地壳运动暴露出地表时，又受到风沙研磨和水冲等物理作用发生了一些物理变化，在这种物理作用下，一些木化石改变了其原有的形态，失去了一些树木特征，有时只能根据其树木纹理来判断。

这种经过物理变化的木化石，极少部分形成具有一定形状和造型的奇石，由于其硅化、铁化、钙化的程度不同，硬度也各不相同。一般来说，硬度高，风蚀的强度就弱，造型变化也就少；硬度低，风蚀的强度就高，造型变化也就越大。

在木化石中，硅化木硬度最高，铁化、钙化木次之。就是在硅化木中硬度也各不相同，目前新疆木化石中一般玛瑙质硅化木硬度最高，可达到摩氏7度，棕色、黄色的依次次之。但硬度越高光洁度越好，其造型也越简单；相反，造型好硬度一般相对低。

因此，作为奇石来说，其质地和造型间存在矛盾。如果在一块木化石中，二者相互统一，则其石必美。目前由于"质、形、色、纹"的现代赏石观被许多人所接受，许多奇石爱好者，特别是初涉此行的一些人，过于强调木化石的质地、光泽等，而忽视了其外在的形态。特别是对于硅化木，因其光泽好、硬度高，被许多人大量购入。笔者认为这种观点和认识切不可取，因为同一品种的硅化木，一般很多，有时甚至有成百上千吨，它的光滑度、颜色、质地可以说是相同或相近，不同的只是它的大小和造型，而造型好的又很少。

因此，在收藏和鉴赏硅化木时，应首先把握其造型，那些长方形或圆形，没有经过强烈风蚀等物理变化的硅化木并没有很高的收藏价值，只有那些经过大自然强烈风蚀或沙磨，具有深厚的意蕴，质地坚硬润泽有一定主题或艺术性的木化石才是一块精品木化石。

目前，在新疆奇石的收藏和鉴赏中，有许多奇谈怪论和一些人坚持的所谓标准，有些人过于强调硅化木的质地和化石性，贬低其他石种的收藏，认为在奇石中硅化木的收藏价值最高。

没有不好的石种，只有不好的石头，世界上如果有两块完全相同的石头，那么也许硅化木的质地和一般的相比，科学性方面的收藏价值要高一些。但赏石的意义不仅在于石头的质地，更在于其精神和文化等内涵的价值。如果我们明白了本和末的关系，也许就不会有石种偏见。

新疆奇石市场中出售的木化石，既有中国的也有蒙古国、缅甸等国外的木化石，但尤以我国新疆哈密南湖早期老货价格最高。

新疆奇石的养护
配座和作伪手段

有句俗话说"人靠衣裳马靠鞍。"作为奇石的整饰，并不是可有可无的事情，一方面可以烘托奇石内涵，另一方面也有利于奇石的观赏。在一些奇石评展中，有时还将奇石配座列为一项评比内容。

养 护

目前新疆奇石爱好者大多数都用油和蜡养石头，认为油养可以保持石头的光泽，避免石矶气化、风化。

使用的保养品有液体石蜡、凡士林、油蜡、上光蜡等。木化石等大漠石类奇石主要是用绒布蘸蜡、油轻抹轻拭，而玛河、额河石一般将石头加热后将石蜡涂在上面，再用布擦。为了使石头表面光亮，奇石市场上的石头一般都涂有液体石蜡。

作为长期保养的供石应该避免上油蜡，虽然这类物质短期内可以使石头的质地、色感更为突出，但也相对阻隔了石头的老化，因为油蜡会堵塞石头的毛细孔，妨碍石头的"呼吸"，妨碍它吸收空气中的养料，使石头久久不能显得"老气"。

而且上油后的奇石光泽有一种造作感，过重的油蜡还会产生"返潮"现象，致使石头表面变得一片灰白，遮掩了石头的自然面目。总的来看，油养是得不偿失，不值得提倡。

供石的价值高低与流传年份极有关系，时间愈久，石头色泽愈古朴归真，石体会发出成熟的幽光，这种难以言传的石表形象，行话称作"包浆"。包浆愈凝重愈好，包浆的形成主要原因在于长时期的辗转流传，但藏主的关心爱护也很有关系。俗话说："养石即养心。"内地有的藏石家喜欢将质肤细腻的供石置于茶桌书案，以双手抚摸，人的汗液慢慢地沉淀于石表，形成一层黝然古雅之包浆，建议石友们最好用手养石。

配 座

奇石的配座好比是书画的装裱，是作品完美与否的一个重要标志，有些奇石的小缺陷，可以通过恰到好处的配座加以弥补，而更多的奇石内涵恰恰是通过配座予以更好地烘托。从观赏的角度来看，奇石的配座得体协调与否，也是评价奇石优劣不可缺少的要素。无论是具象石、抽象石，还是图案石、色彩石，大部分适宜配木座，一些体量不大的小品，更需要木座加以烘托，但需注意木座的雕刻不宜过于繁杂，线条应简洁流畅，它起的作用应是"烘云托月"，而不是"喧宾夺主"。比如人物象形石木座更应质朴,在人的视觉上有一种若有若无的感觉,这才能充分表达主体的神态。

木座是新疆奇石最主要的一种底座。它一方面可以增加供石的典雅气度,另一方面供石底部的不平,无法置稳的缺憾藉此也得以解决。木座的雕制是一种雕刻艺术与镶嵌艺术的结合,尤其是镂底,要做到石头坐于上严丝合缝,纹丝不动,决非易事。所以,一般需有经验有艺术眼光的雕木师傅制作。目前新疆木座的材料以樟木、红木为上品,次一些的以黄杨木、桑木、

米以内每厘米(最大直径)1.5元左右,厚度超过8厘米每加厚1厘米另加收1元;镂空雕花座:用柳木等一般杂木的厚度在8厘米以内每厘米(最大直径)1.5元左右,用红木、樟木的厚度在8厘米以内按每厘米(最大周长)1.5元~1.8元,超过8厘米每厘米另加收1元。乌鲁木齐的价格较贵,一般要在哈密的价格基础上每厘米加价1元。

作　伪

目前在新疆奇石市场,据笔者所知还没有

目前新疆奇石配座人员主要以广西等外地人为主。

木、枣木等杂木为主,一般市场上出售商品石的底座为柳木,鄯善等地一般用白杨木,根雕座多见于额河石等图纹石上。

目前哈密配座市场主要以广西、浙江等外地人为主,共有二十多家,配座大户(雇工在三四人以上)有14家左右,配座价格收费不等。普通明式、线条座:用柳木的根据石头大小一般在几元到几十元不等,红木、樟木的厚度在8厘

发现通过酸洗、喷砂、打磨等手段改变奇石造型,以及用强酸、加热等方式改变颜色的做法。虽然谈不上造假,但也存在一些作伪现象,应当引起我们的重视。

一是酸洗:这是部分石友和石商为快速有效地清除石头表皮沾附的污垢、杂质采用的一种化学清洗方法。新疆石友一般都用的是草酸和盐酸,主要是对玛瑙、戈壁石表面杂质的清

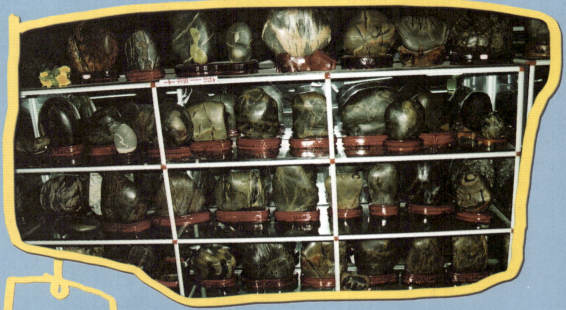

用蜡养护过的新疆图纹石，才能显示出图案和纹理。

除，这样的酸洗仅仅是为了除污去垢，还石头本色，一般不应该视为造假。但也有一种情况，主要是在酸洗中对石头局部附着的主要是沙漠漆等附着物进行酸洗，而使石头表面具有一些图案，这种做法仅在泥石、戈壁石中个别存在；另一种做法是对沙尔湖的一些埋藏的木化石的酸洗，特别是一些黑色硅化木，用强酸整个腐蚀掉外表一层，露出内部黑色质地来冒充南湖老货。

二是打磨切底：新疆目前还没有发现利用空压机、切割机、打磨机、喷砂机等机械设备像对内蒙戈壁石那样的加工打磨、改变石头造型的现象。主要是对一些底部不平的石头（特别是风凌石）切底，但一般石商会告诉你情况，一般购石者也能从石头底部看出来。

三是粘贴：主要是对一些开采运输中发生断裂的石头利用强力胶粘补，这种做法主要用于沙尔湖带树杈的木化石上。可以这样说，目前那些带有三四个以上枝杈的沙尔湖木化石大部分都是采用粘贴的办法重新修复的。一些人的手法比较高明，在强力胶中渗入与石头表面相符的颜料，粘好后再用石头本身的细末涂抹在上面，一般人不仔细观察很难发现。

总之，笔者认为新疆奇石市场是一个健康诚信的市场，不存在内地的作伪和造假方式。至于一些人误把沙尔湖、外蒙的硅化木当成是南湖老货购藏，那是另外一种情况。值得注意的是，近几年山东等地工艺石已流入新疆奇石市场，其鲜艳的颜色和光滑的外皮也吸引了一些人的目光，当然如果有人作为工艺品购藏也无可厚非。

警惕奇石收藏中的超量辐射

近年，随着人们对室内环境质量问题的重视，开始关注奇石的辐射问题，极个别大型的硅化木和来自罗布泊核试验区的奇石确实存在超标辐射问题（辐射也只在万分之一二左右），但不是所有的奇石都存在超量辐射。

我们也不应谈石色变，专家介绍说：自然界中任何物质都含有天然放射性元素，只不过不同物质中的放射性元素含量不同。我们周围环境中的土壤、水甚至空气中都有放射性元素，非石材的建筑装饰材料如水泥、钢材、砖、通体砖等和石材一样均含有放射性元素，这是亿万年来的客观事实，也是一种正常现象。就拿通体砖来说，是由粘土加其他材料烧成，粘土是由岩石风化形成，如果粘土中的放射性元素比较高，那由其烧成的通体砖放射性元素含量也相应会高，因此认为只有"奇石"和"石材"有放射性，其他材料不含有放射性的看法是不正确的。当然针对目前存在于个别奇石中的超量辐射，人们在收藏的玩赏奇石中，应该对某些放射性较强的物质提高警惕，否则就有可能危及自己的身体健康。

针对极少部分奇石中可能存在的辐射超量问题，笔者建议：

1. 在室内尽量不要摆放过多的奇石，特别是不要摆放到卧室等长期居住的地方，并且要注意室内通风。

2. 尽量不要摆放一些不明产地的奇石，据测定它们一般辐量值都超标。

3. 有条件的要请人对奇石的辐射值进行检测，看是否超量，一般地质、环境、气象等部门都有这样的测试仪器。

4. 目前室内的家具、石材地板、装饰板材乃至节能灯都有可能存在放射性指标超量问题。一位石友请人测定其室内放射性指标后，发现其劣质节能灯比摆放的硅化木的放射性指标强百倍。

5. 多了解一些室内环境和辐射方面的知识。互联网上有许多这方面的内容，读者可在网络上点击"辐射"或"奇石辐射"，了解这方面的相关内容。

"聚宝盆"购藏记

果子化石是鄯善县七克台镇农民2001年在沙尔湖发现的一种大漠石新品种。据七克台镇南湖村农民介绍，这种奇石仅在沙尔湖西北角发现过，在两三平方千米的山坡上，呈鸡窝矿状散落着这种硅质的石头。除表层裸露的外，加上被当地人称为"生石头"埋藏在地层中的也不过二三十吨。大部分为扁平状，石形完整、光洁度高、寓意深远的屈指可数。

2001年10月，我和朋友第一次到七克台镇购石时，这种石头就已经出现在市场上。看到这种奇特的石头，引起了我们的兴趣，几个人都买了几块，每块不超过100元。我的朋友冯学江由于和当地人比较熟，花了300元买到了一块黄色透明的精品。至于这种奇石是不是植物果实的化石，至今仍没有定论。当时这种石头主要是由乌鲁木齐石商买走，全疆其他奇石市场

上几乎很少能见到，不得不佩服这个石商的胆识和眼光。赏石的过程也是一个不断发现新品种、新商机的过程。

2004年9月，为了能购藏进几块值得收藏的奇石，我决定再到七克台去一次。这次我专门叫上了我在银监局工作的一个朋友，因为他在那里长大，南湖村里的人大部分都是他家亲戚，也许能通过他看一下当地人收藏的石头。我们第一天在南湖村整整看了一天，只看上了一块山形风凌石，但吐哈石油上的一个人已定好，不便再转让，只能作罢。

第二天在鄯善县城的奇石市场里，当我一眼看到这块果子化石时，就被它所吸引，脑海里闪出了"聚宝盆"一词。不知别人是怎样购石的，我近几年的习惯是购买的石头要有主题，也就是石头要有意蕴，能起一个非常贴切的名字。由于店主在其上标明"展品"，意非卖品，我只能问了其他石头的价格，最后问到此石时，店主说："你没看清吗？是展品，不卖。"我立即反驳道："不卖的东西放在店里干吗？你这不是要人吗？"店主听了不好意思，报了一个价，要了2000元，我按照这一带市场上的通常砍价方法砍了三分之二，给了一个价800元。店主说什么也不同意，最低要1800元。到别的店里转了转再回到这家店里，看到石头上有一个米粒大小的碰伤，我以此为借口又和他谈了谈，他又降了300元，其实我当时心里的价位是1200元，在这个市场上这个价位也够高的。但看来店主也是一个懂石头的人，他知道这块石头的价值，并不想痛快出手，所以价格上咬得比较紧。中午在朋友家里吃饭，越想越不对劲儿，就又开车跑到市场，将前面看好的一些石头买上后，再一次和他商量让让价。在旁边几个人的劝说下，他只肯再降100元。准备回哈密时，我心里越想越不是滋味，总不能白来一趟，就算花今年的钱买明年的石头，我最终还是以1300元的价格买了回来。

此石拿回哈密后，让几个石友看了看，都说是买贵了。其实我也明白在鄯善市场上，石头的价格一般都不高。据说整个鄯善当地人卖的最高价的石头没有超过两万元的。当地人不注重收藏，价格合适就卖，对奇石精品价值的认识还没有到位，这也是许多外地

鄯善南戈壁自然景观。这里是新疆风凌石和各类戈壁石的重要出产地。

鄯善县奇石协会令大漠

奇石市场「聚宝盆」奇石

就在此购藏。

人到这个市场上能经常捡漏的原因。对于这方奇石，单从市场成交价格上来看，确实贵了一点，但从全疆整个市场上看，充斥的都是被称为商品石的奇石，市场上捡漏的机会也越来越少。除风凌石外，目前新疆大漠石资源已近枯竭，要到戈壁上捡块好石头也是难之又难。所以见到精品，贵上几百元也值，毕竟一块精品石头的收藏价值远远高于几车垃圾石。

这块奇石，由于其左边石矿粘附有黑色的东西，掩盖了其内部黄色的石体，有人建议用盐酸洗洗，我没同意。我的观点是有缺憾也是大自然留在石头上的，洗过后虽然鲜艳夺目，但毕竟不如自然的包浆好。仔细观察此石才发现，其口沿处有一条宽3厘米的红色痕迹，从盆内一直流出至盆外石下部分，不知是什么物质，但也应了"谦受益，满招损"的古训，能给人以警世作用。此石命名为"聚宝盆"，不仅是它产自于素有"奇石聚宝盆"之称的沙尔湖，更主要是其上部那个长10厘米、深3厘米的盆形符合整个石形。加上金黄色的石矿颜色和部分呈果冻状的玛瑙，对于讲究一些的人，喜欢这类具有财富寓意的奇石。

值得一提的是：此石于2004年10月同"鹰龟灵芝石"一起经中国奇石王争霸擂台赛组委会专家初选，获得了决赛资格，并要求10月底送到广西南宁参赛，但由于我正在利用休假创作这本书，故自动放弃了参赛资格。（图片参见彩版16页）

英国雕塑家享利·摩尔的雕塑作品《斜躺的人》。其创作灵感来自于自然之石和原始艺术。

广西摩尔石既有西方的抽象美又有东方的神秘美,艺术韵味引起了越来越多藏家的关注,市场价格节节攀高。

赏析大漠石中
的抽象石

抽象石是以奇石的线、面、点的变化,以其造型和颜色、纹理之美,也就是以石头的整体美来作为欣赏对象。它的形状并没有特定的形式,可长可圆,可高可低,可光洁顺畅,可奇形怪状,造型无限,但以简洁为上。

抽象石与具象石虽然没有严格的分界线,但抽象石一般以写意为主,表现奇石的力度、稳定、平衡、虚实、空间、线条。抽象石往往比具象石更富于哲理意味。

新疆大漠戈壁的环境和气候是产生新疆抽象类奇石的重要条件,由于风沙的长期研磨,一些长期裸露出地表的岩石更容易形成抽象石(主要是一些泥石、碧玉、硅质岩石等,一般新疆石友将这类戈壁杂石统称为戈壁石,木化石、风凌石中很少出现)。它或以石头点、线、面的组合取胜,或以其颜色、质地甚至一些抽象的图案取胜,给人以一种现代的、力量的感觉,具有深刻的禅意。它需要采集者、欣赏者用一定的文

化素养来理解、诠释,从而获得共鸣。抽象石由于欣赏者的不同,可以悟出不同的含义,甚至同一欣赏者,随着心境的不同,年龄的增长,学识的丰厚也会悟出不同的含义。

目前,新疆大漠石中的抽象石还没有引起

本地收藏者的注意,其主要购买对象是外地游客和石商,由于大漠石中的抽象石一般产量不多,能称得上精品的更是凤毛麟角。同时抽象石不像具象石那样直观地反映奇石的意蕴,认可的人不多,故价格不高。在新疆奇石市场上一般只有几十元,颜色鲜艳、有图纹的也不过几百元,上千元的更少。这主要是在新疆这个以硅化木为主流品种的奇石市场上,有些人认为硅化木毕竟是化石,再次也有其科研、历史的收藏价值。我们应当从广西摩尔石的经验和教训中重视此类奇石的收藏和研究,就我本人来讲近几年更偏爱此类奇石的收藏,虽然目前经济价值不高,但所蕴涵的艺术性是一般具象石所无法比拟的。

以下是笔者收藏的几方新疆大漠石中的抽象石,介绍如下:

1.棱

石的点、线、面的变化和其交汇点,给人以力量感和平衡感,其黑色的质地增加了沉稳感。

2.夏夜的雨点

在绿色的岩体上,分布着十几条白色的斑点,三条自左至右的白色石英脉,避免了画面的单调。

3.律

此石为泥石,体量适中,具体有什么韵味,也许每个观赏者有不同的感悟,其题名还需商榷。

4.无题

以其圆润的外形线条和颜色取胜,也许等我老了才能感悟到它的内涵吧!那时会有一个贴切的题名。

5.一帆风顺

以棱角分明的外形线条构成了风帆的形状,石体上的纹络避开了石体的臃肿,可惜底座配得不好。(图片参见彩版22~24页)

奇石已成为园林建筑和室内装饰的重要组成部分,图为广西八桂奇石馆内景。

赏析木化石中
的具象（象形）石

木化石，特别是哈密硅化木由于造型优美、质地坚硬、石肤光滑、色彩丰富而优于其他产地的硅化木，也因科研、历史的价值受到国内外一些奇石爱好者的青睐。

近几年，随着奇石收藏爱好者对木化石的逐渐认识和了解，树立起了木化石的精品石概念，不像早期以大小、质地、光洁度、造型等单一的标准来评鉴其优劣。

目前对新疆奇石的鉴赏，从质、形、色、纹上来说，一般首先评鉴的是造型，其次是色、质、纹等。当然这是从普遍性上来讲，并不排除特殊性。

石头都有形，但这种形要能通过色、质、纹等反映出奇石的文化含义。一般来说比较认可的是具象石，特别是木化石中的象形石由于稀有性和雅俗共赏性而受到追捧。景观和抽象石由于每个人的理解不同，次于象形石。

早期新疆赏石界，过分追求奇石的质地，什么玛瑙质地、宝石级质地，但仔细想一想，同一片区域出产的硅化木，一般来讲其质地、颜色都差不多，所区别的只是块体大小和形态的差别。对其他地方的硅化木而言，这片出产的也许稀有，但有时同一片出产的硅化木产量很多，并不见得个个是精品。除去质地、颜色相同外，可比的只能是其形态了，只有那些造型奇

特、形神兼备的才有可能是精品。并且世界各地都发现过硅化木，近几年，来自外蒙的硅化木就大量进入新疆奇石市场，而且也经过风沙的研磨和吹打。

就新疆木化石来说，目前虽没有发现像"雏鸡"、"岁月"等九分甚至十分像的具象石，但也有一些五六分像甚至七八分像的。这些具象石由于稀有而价格较高，毕竟在木化石中，那些柱状、片状的木化石较多，能有五六分像的可以说极少，七八份像的十万块石头里也许发现不了一块。价高也就应了那句老话：物以稀为贵，其价格的合理性也许就在这里。

能形成木化石中的象形石一般有两种情况：一是原生状态。也就是说当时树木的树干、树杈、树结、孔洞、树根等，恰好与人们所认识和了解的周围环境中的某一事物的形体一样，形成了人物、牛、马、蛇或其他的一个具象概念。由于树木的树干、树杈等先天的形体变化不大，而树根、孔洞等变化较大，故形成的几率大一些。像本书介绍的"蛇"、"永恒的爱"就是由树根形成的。

另一种情况是木化石形成后由于受到后天搬运和风沙吹砺打磨，改变了其原生的状态而形成的。这种情况可以说全凭自然的造化。"武士"、"关公"硅化木就是这种情况。

需要指出的是，虽然本文强调了木化石的形，但并没有贬低其质、色、纹等标准，如果一块木化石形优，而其质、色、纹又恰到好处地增加了它的文化意蕴，那当然是一块精品奇石了。笔者强调"形"主要是从物以稀为贵的原则谈这个问题。

以下是几块木化石中的象形石：

1.蛇：产于沙尔湖，为早期滩面的木化石。是由树木的根部形成的一块具象石，一条弯曲的须根盘在主根上，蛇头部那个小一些的须根恰好形成了蛇的眼睛，龟裂的树皮似蛇皮上的纹路。

2.关公：为沙尔湖红山七彩玛瑙质硅化木，经风沙吹砺打磨有了一定的具象。此石原命名为"观音"，后在一赏石高手的指点下重新命名为"关公"。

3.永恒的爱：产于沙尔湖。为树木根部形成的象形石，此石四面皆有形。在自然界中像这样两根相连的情况也较少见，更奇的是竟变成了化石。

4.武士：产于哈密南湖戈壁。此石一石二形，近距离观赏像一武士，高鼻深目，气宇轩昂，远距离的轮廓像一位少女在沉思。（图片参见彩版 4、7、11 页）

乌鲁木齐铁路局公园内的木化石。

抽象石"梵高作品"
——星空鉴赏

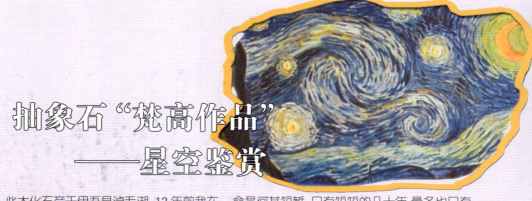

此木化石产于伊吾县淖毛湖。12年前我在那里搞社教期间,几个边防战士在中蒙边境巡逻时发现并送给了我。我认为它是我所有藏石中思想性最强的一块供石,远远高于一些具象石。

辩证唯物主义的哲学观认为,世界上任何事物都是相对存在的。虽然此石不完全符合传统和现代赏石观的评鉴标准,只能占其一二项,但正是由于它粗糙的外表(不是南湖老货的润泽光滑)、沉稳的暗红色(与现代赏石观讲求的亮丽无缘),甚至不是玉质、玛瑙质的质地,但烘托出来的十几条凸出的年轮,这些第一形体上的东西却表达了它的思想内涵。

这块石头原本是一棵树,想想在1.5亿年前的一天,当它还在淖毛湖当时那片茂密的森林中生长时,突然火山爆发,山崩地裂,转瞬间一棵茂盛的大树就被压在了地层之中,接受水与火的洗礼。在漫长的地质过程中,虽然它的肢体早已四分五裂,由柔软的树木变成了一块坚硬的石头,但留下了它曾经有过13年(或者更长)生命历史的痕迹。

斗转星移,沧海桑田,当它涅槃再现在淖毛湖时,早已今非昔比,原先的一切都荡然无存,有的只是茫茫戈壁,经过风沙的第二次洗礼后,才最终孕育了它。

赏此石常常感到自然的神奇与造化,沧海桑田,生命是短暂的,却也是永恒的。和地球历史的46亿年、木化石的1亿多年相比,人的生命是何其短暂,只有短短的几十年,最多也只有100多年。珍惜生命,珍爱生活,不要让自己活得太累,留下一些值得永恒的东西。

此石原命名为"年轮",但总觉得没有挖掘出内在的思想内涵。由于笔者偏爱欣赏梵高等国外印象派大师的作品,也比较喜欢八大山人的写意作品,特别是梵高著名的作品《星空》中,那旋转流动的云团和星月洋溢着强烈的生命感受和探求,故题名为"梵高作品"——星空。

借这篇文章,笔者也想谈谈自己的赏石观。虽然古人为我们总结了造型石类的赏石标准,今人又提出了"形、质、色、纹"的现代赏石观点。但我认为作为一名奇石鉴赏者,还是要对具体石头作具体分析,以挖掘其精神和文化、艺术、科学内涵为主。因此要不断提高自己的文化和艺术修养,以提高自己的赏石水平。

从实践中来,到实践中去,通过认识的不断提高,必定能从赏石的必然王国到达赏石的自由王国。像梵高、毕加索等绘画大师一样,无所谓构图、颜色、形状等标准,有的只是感觉和思想,以及对世界的认识。即使是一枚小小的卵石,也能从中感悟到人生和自然的奥秘,我想这也许就是一些人所说的禅石境界吧!(图片参见彩版20页)

从"马头石"谈
具象石的评鉴

　　这块玛瑙石来自于伊吾淖毛湖玛瑙滩，这里是新疆目前发现的最大的玛瑙石产地。20世纪90年代初，这里的玛瑙石都是被当做工艺品雕刻原料销往内地。据说，由于其块体一般都不大，多数玛瑙石都被加工成高档西服的纽扣。

　　近几年随着赏石热的兴起，当人们再用赏石的理念重新认识这里的玛瑙时，玛瑙滩上的玛瑙早已所剩无几。截至目前，在这一区域发现的玛瑙石精品还不到五块，而具象的玛瑙石更是屈指可数，除一块题名"清真寺"的图案石被一哈密石友购买珍藏外，另一块题名"勤奋"的被一外地客商高价购走，而这方"马头石"由于石主的特别偏爱而保存至今。

　　伊吾玛瑙滩的玛瑙石同内蒙古玛瑙湖的相比，其最大的不同之处在于前者以图纹取胜，而后者多以造型为主。内蒙玛瑙石造型丰富，质地细腻润泽，特别是近一两年来在国内兴起的内蒙戈壁玛瑙小品，有些具象得真是令人叫绝。虽然淖毛湖的玛瑙一般造型变化不大，但其色彩更为丰富，颜色更为鲜艳。当这些五颜六色的条带和颜色巧妙地形成了一幅幅动人的画面时，你才会感到造物主的神奇，才会更进一步理解"天赐奇石"、"万里求一"这些话的含义。

　　这方玛瑙石体量不大，但石形合乎马头的轮廓，黄色的条带巧妙地构

产自伊吾玛瑙滩的
玛瑙石——"勤奋"。

114

成了马的眼、嘴、鼻等主要部位,特别是眼睛,虽然与实际的马相比有些偏大,但和夸张的嘴部相配。

对具象石的赏析,目前还有许多争论,一些似像非像的奇石被一些石友说得神乎其神,认为是"妙在似与不似之间",有些还美其名曰"神似"。笔者认为,在具象石的评鉴上,还是要以像不像为主,不能过于强调"神似"和"抽象"、"意象"等。奇石虽然是一种艺术品,其价值的体现主要以艺术性和文化意蕴为主,但作为一种非人工的艺术品,奇石还有它自身天然性、稀有性等特点。对于神品,特别是像"岁月"、"雏鸡"等神品,之所以能得到广大石友和专家的广泛认可,我想其首先在于它们恰到好处的眼、嘴、鼻等的大小、位置以及通过它们所反映出来的神韵。

也许局外人比我们看得更明白,近几年,笔者在评鉴具象石中,常常采取一种笨办法,那就是对一块奇石,请不懂石头的朋友来看,他一眼就能说出像什么,那也就是具象石了。如果有十个不同教育程度、不同年龄的人都一眼认出是什么的话,那就是一块具象石精品了。(图片参见彩版8页)

"鹰龟灵芝石"的文化和科学价值

我们生活的这个地球，是宇宙中最具生命力的星球。一般来讲，构成地球的三大岩石——火山岩、沉积岩和变质岩都有可能形成奇石。但自然界中的石头遍地都是，能形成奇石的石头也千奇百怪，赏石者因审美感悟能力各有不同，面对这些千奇百怪的奇石，什么样的石头才能算得上奇石珍品？即是什么让我们为坚硬、冰冷的奇石珍品痴迷呢？

那就是文化。正是由于奇石是一种自然造化的文化载体，才使得我们面对当今社会五颜六色、制作精良的工艺品无动于衷，而对奇石情有独钟。"天赐奇石，人赋妙意"。这个"意"就是创作之意、美学之意、品悟之意，正是这个"意"把无价的奇石变成了有文化韵味的藏品和有价值的商品。

而精品奇石除了具有其奇特性的一面，更

应当是具有深远文化艺术韵味的稀世珍品。奇石的文化价值一般应体现在它的趣味性、艺术性和科学性上。

此"鹰龟灵芝石"高18厘米，长20厘米，出产于哈密南湖戈壁。此石"一石三形"，且各有一定的文化意蕴。从正面看是一只鸟龟，其凸出椭圆形头部的眼、鼻、嘴位置和大小恰到好处。从背面看有人说像蘑菇，有人说像鸡冠花，从上部看有像小鸟、鸽子、鹰等各种说法。我在长期的赏玩过程中，才慢慢品味出了此石的文化含义。由于其上部呈半圆状，说它是蘑菇有些牵强，说是鸡冠花颜色和形状又相差太远，考虑再三，觉得定名为灵芝比较合适，既符合石形和沉稳内敛的颜色，同时具有一定的文化含义，因为在传统文化中灵芝是健康、长寿、富贵的象征。

此石从上部看，虽像一只休憩的小鸟，但石脊中部隆起，有一定的力度感，联想到绘画大师李苦禅先生画的雄鹰，其肩胛骨突出有力，故更似一只鹰，也是我们比较喜爱的动物。最后，我直接题名为"鹰龟灵芝石"，突出此石的三个特征，也各有一定的文化意蕴。

在人类历史发展中，由于不同民族生活在不同的地理环境中，受到不同宗教信仰和历史文化的影响，形成了各自特有的文化传统和心

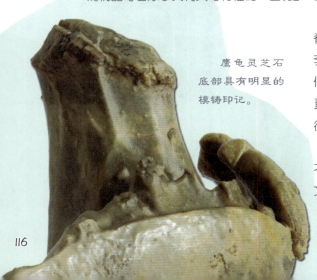

鹰龟灵芝石底部具有明显的模铸印记。

理习惯，有各自的吉祥物和喜好。例如，在动物中，日本人认为龟是长寿的标志，而中国人却喜欢龙凤等；汉族人认为鱼（年年有余）、羊（三羊开泰）是吉语；而回族等少数民族认为猪、驴、狗是不洁之物。

在颜色中汉族人喜好红、黄、绿，禁忌黑白，而回族、藏族却喜好黑白。

日本人喜好柔和色调，而韩国人却喜欢鲜艳的颜色。随着社会发展，人们也有许多新禁忌，例如喜欢 8、6 等数字，禁忌 4、13 等数字，一些人为了使自己的车牌号、手机号带 8、6、168 等数字，不惜高价去竞拍。

因此，不同国家和民族的这种喜好和禁忌，使赏石者在赏石活动中总是自觉或不自觉地偏向于所喜爱的那种。

笔者在从事奇石收藏的早期，由于受宁夏孟昭贤先生《浅谈风砺石》一文中一些观点的影响，认为风凌石等戈壁类奇石的形成原因是以风为动力，以沙粒为天然磨料，长期在戈壁滩中吹蚀和磨砺而成。从表面上看，无论是哈密马蹄山、沙垄还是鄯善风凌山，据我的实地考察，这些风凌石的出产地确实风沙和温差比较大，日夜温差有 20 多度。沙子越多的地方风凌石的造型也越好。但有时仔细观察一些风凌石后，也会有疑惑，马蹄山的一些风凌石，特别是一些早期的玛瑙质、玉质石头上，形成的孔洞、山峰，有的白色硅质部分只有火柴棍那么粗，有时用点劲儿一碰就断裂，如果风沙能把那么大的洞都能吹打磨砺出，那些火柴棍一样细的部分早应断裂，虽然这些已形成孔洞的部位也许是比白色石英更软的岩石，但据我观察，这种情况比较少。

三年前，带着这种疑问我又拜读了阎志强教授的一篇关于戈壁石形成原因的文章，该文认为戈壁奇石形成的原因是地球内力（地质运动、岩浆活动）与外力（风化、剥蚀、搬运、沉积）联合作用的结果，其最后阶段的风沙磨砺作用仅是对石肤的美化，而此前的质、形、色、纹等早已基本铸成。那么，形成风凌石的内因到底是什么？有没有一个能证明风凌石形成的标本石呢？

有一天，当我在手养这块"鹰龟灵芝石"时，突然发现其石柱底部的石矶明显不同于别处，有一种模铸时熔岩外溢形成的感觉。就像浇注生铁锅时，其模内的铁

水冷却后外表光滑，而外溢的那部分铁水由于裸露在外，在空气中冷却时形成粗糙凹凸的外表。而这块风凌石同模铸时情况一样，证明它是浇铸而成。我深深感到了大自然的神奇，大千世界怎么就形成了一个和此石相同的模子，让炽热的熔岩流进去铸成了这块奇石。这块风凌石所蕴含的科学价值更为它增加了收藏价值。

我养石从不擦油、打蜡、上光，擦油虽然可以使石头有亮丽耀眼的光彩，但总觉得是浮在石头表面上的东西，怎么也不能和石头融为一体。有时甚至觉得对石头特别是对精品石的暴殄天物。用手养石是一种最好的形式，而包浆的产生则是对用手经常抚摸的回赐。包浆表面上的是石皮、石矶的形式问题，实际上是一种内在的人与石的关系，是人对石头的理解，人与石的感情，是人与石的互融和感悟。包浆是一种心态，是一种玩石的境界。古人说君子玩玉，能使玉温润祥和；而恶人持玉，会使玉充满杀气。虽然这是一种唯心主义的观点，但只要爱你的石头，你的石头也会给你带来心神的愉悦。说句不该说的话，每当有石友看完此石，我都要在石友走后清洗一遍。几年来，这方奇石在我的精心抚摸下，已经没有了火气和野气，产生了一层厚厚的包浆。

在静谧的夜晚，拉开床前的台灯，一个人在音乐声中静静地凝望着它。看到它那咧开的嘴角，凝望你的眼神，你会相信这世间万物是有灵气的，虽然它只是一块在别人眼中冰冷、坚硬的石头。（图片参见彩版1、2页）

大漠石精品赏析

"桂林山水"甲天下

风凌石极容易出山形,也是喜欢山水景观石石友们的首选石种。

新疆风凌石的山水景观石就像新疆的自然风光一样,多给人以粗犷、苍莽、雄浑、原始的感觉,"一方水土养一方人",水土不仅养育了人,可以说连这方水土中的奇石也具有了水土的性格。而这方奇石却迥异于其他新疆风凌石,它属于马蹄山的早期老货。初看此石,给人的第一感觉就是秀。它好像和新疆的水土无缘,表现的是南方山水之灵气、葱郁和秀美。

好的奇石和人一样是有性格的。当初也许是看到了它独特的这一面,才毫不犹豫地购藏了它。那么,它表现的是南方的什么山水呢?

首先此石颜色纯正,对比鲜明,隐去了一般风凌石以灰色为主各色相间的杂乱色彩,黝黑色的山峰上有一个耳朵状的孔洞,细若发丝的白色石英脉杂乱地穿行其间,使石肤不显呆板,有了生命和韵味。下部向外突出近10厘米的白色部分增加了山体的沉稳感。

更奇的是上面30多个似浪花的石英均匀地翻卷在上面。上部的白色玉质部分似一片白云,遮盖了整个山峰。此石玉质部分在千万年的形成过程中,吸日月之精华,形成了一层厚厚的包浆,故无需手养或打蜡上光。经过几年的赏玩,联想到桂林漓江的象鼻山等自然风光,给其命名为"桂林山水"觉得比较符合它的性格。

(图片参见彩版 14 页)

砂碛岩奇石"大鲵"

鲵是两栖动物,有大鲵、小鲵两种,鲵的外形特征是眼小、口部大、四肢小、尾巴扁,在淡水中生活,是国家重点保护动物之一。长江流域多见,特别是在长江最大支流汉江上游的汉中、城固、洋县的褒河、水河、沙河生存的较为集中。前几年,科学家在新疆天山以北的青河县也发现了它的踪迹,人们称为北鲵,也叫准噶尔鲵。因鲵鱼的叫声酷似婴儿的啼哭,故俗称娃娃鱼,因

所谓精品都是万里挑一的石头,而到大漠戈壁中探石、捡石,除了勇气和胆量外,还得靠运气。一无所获的情况常有发生。

肉质鲜美可口，人为的捕杀已使鳂鱼濒临灭绝。

这块采自大漠深处的沙碛岩赏石是鳂鱼身影的显现，它长 116 厘米，宽 24 厘米，高 36 厘米，和大鳂相比，它不仅形似，而且极富动感，两眼突出，天生后肢，扁尾高高翘起，欲呈潜入水中之势，惟一缺少的是生命，它昭示人们：人类要不遗余力地爱护、保护濒临灭绝的珍稀物种。（图片参见彩版 3 页）　　（文 / 高继）

"云根"硅化木赏析

《诗注》曰："云生于石，故名石曰'云根'。" 由于古人认为云彩的形成是和石头有关，所以古时人们也将奇石称之为"云根"。

这方产于哈密南湖的硅化木，由于主题不是特别鲜明，又不像什么动物或山水之类的景物，

命名为"玲珑"之类的名字，又落俗套，故一直没有命名。近期读到古人的这句话，就暂且给它命名为"云根"吧。

硅化木一般都具有树结、年轮、树杈等树木特征，而这方供石树木特征不是特别明显，只能在纹理中看出其生长的一些特征，而这些纹理也正好形成了它的"皱"。此供石虽不具备现代赏石观的"质、形、色、纹"，但具有了古人所说的"皱、瘦、漏、透、秀、奇"的造型石评鉴标准。石形骨架坚实而又婀娜多姿，轮廓清晰明了，在表面起伏的曲线中，凹凸明显，分布有 20 多个洞穴和深沟，更有 3 个是穿洞，最大的一个穿洞直径有 1 厘米以上，自下而上穿行而过，避免了形体的臃肿感。

此石虽是土黄色，但显得古朴沉厚，悠远深邃。石矶由于受戈壁风沙的长期吹打，形成了一层包浆，具有了一种典雅的古朴美。虽然此供石不符合所谓的现代赏石标准，但能拥有这样一块虽然不是特别养目但能养心的供石足矣！（图片参见彩版 19 页）

安放在广东顺德的长 30 多米的两株哈密巨型硅化木。图为哈密政府代表团在广东考察时合影。

饲养在伊吾县的野骆驼是国际濒危物种，也是国家一级保护动物。

赏大漠"王"字石

查阅全国各类赏石文献，在众多文字石的藏品之中，惟有深圳王先生的草书"情"字石和江苏魏先生的狂草"风"字石给人留下的印象最深。

草书"情"字像浮雕凸显于石面上，"风"字石比例、色调和书圣王羲之书写的"风"字难分伯仲，和它们同宗的"王"字石高60厘米、宽45厘米，呈天然镂空状。三横一竖结构合理，笔画遒劲有力，气势不凡，足显王者风范，"王"字石产于哈密南湖戈壁火山地带，属火山岩类，灰碳色石底，表面有白石英斑点，摩氏硬度为6度，它被风沙磨砺而成，形象逼真，观之让人心动。

如果说"风"、"情"字石能以小巧玲珑取悦世人的话，那么"王"字石则会以大漠孤烟、刀劈剑削之势征服你的视觉神经。

赏"王"字石会使你脑海中浮现出宁夏赵立云收藏的取名为"岁月"的天然玛瑙人物头部画面石。人物形象无可挑剔，凝目端详，风采传神，内心世界淋漓尽致地凝聚于人物面部，使人无法用语言、笔墨描述它的真、奇、美。观名赏名，"岁月"两字十分贴切。的确，岁月留给人们太多难以忘却的记忆，斗转星移，沧海桑田。"王"字石会开启你记忆的闸门。王者居众人之上也，王朝的更替使多少帝王将相、英雄豪杰在历史的舞台上叱咤风云而最终留与后人评说。茶余饭后，静心观赏"王"字石时，它会把你的思绪带到远

古和未来，使你浮想联翩。

"王"字石石质坚硬，敲击有声，它和"岁月"人物头部画面石有天配之缘。"岁月"石端庄深远，"王"字石坦荡粗犷；"岁月"石为妇女形象的典范，"王"字石阳刚之气甚浓。如果方家认可，我以为可寓"岁月"人物画面石之意，展大漠天成"王"字石之风采，以此为"王"字石寻求到较为合适的地位和名称。（图片参见彩版5页）　　　　　　　　　（文/高继）

品味"黄粱枕石"

黄粱指小米，唐传奇《枕中记》中说，有个叫卢生的人，在邯郸住店，遇到一道士吕翁，卢生自感生不逢时，空有才华却穷困潦倒。吕道士说，我可以借你一枕头，只要你枕上之后就天随人愿，万事如意，飞黄腾达。这时店家正在煮小米稀饭，卢生便梦入枕中，在梦中享尽了荣华富贵，金榜高中，春风得意，一觉醒来，小米稀饭还未煮熟，故有黄粱一梦之说。黄粱一梦也演绎到后来的黄粱一枕、黄粱美梦、一枕黄粱之说。

当我见到这块金黄色、长63厘米、宽20厘米、高22厘米的戈壁泥石时，就把它和头脑中的成语黄粱一梦联系了起来。古往今来，脚踏实地，本分求财，一生平安的人是大多数，但总有少数人挖空心思去寻找吕翁道士的黄粱枕，希望进入梦境。这块黄粱一枕可谓醒石，见到它可以让人忘掉吕翁借与卢生的神枕，尽快回到

现实生活中来，面对生活，面对人生，美梦只是转瞬即逝的幻境。但愿这块黄粱枕能警示众生。

（图片参见彩版22页） （文/高继）

大漠石与"大漠之舟"

骆驼曾经是丝绸之路上最重要的交通工具，可以说人类正是借助了它，才使得古代中西文化和商品得以交流，使西方不仅认识了解了中国的丝绸和瓷器，也了解了中国文化。由于它吃苦耐劳的性格和几十天不喝水的特性，是古代大漠戈壁中旅行的重要交通工具，被称之为"沙漠之舟"。

目前在新疆，骆驼也时常是牧人转场的重要运输工具。位于哈密南湖戈壁和罗布泊、阿尔金山地区的部分区域，是国家一类保护动物野骆驼分布最广的地区，目前种群数量骤减，濒临灭绝，已不足千头。"大漠之舟"硅化木正是发现于南湖戈壁一带。

硅化木是大自然留给人类不可再生的远古瑰宝，具有重要的科研、欣赏和经济价值。硅化木虽然全国各地都有发现，并且产量也比较大，但多以圆柱状或片状形态出现，具有一定造型特别是具象的硅化木是少之又少，特别是一些长期裸露于地表的硅化木，因于风沙吹蚀打磨，其造型和石肤都比较好。故形奇、质优、意蕴深的精品价格比较高，走势良好。

此硅化木树木纹理清晰，颜色黑白相间，石表肌体中分布有血丝状的红色条纹。被沙蚀得皮质润泽，充满了油脂光泽。从前后观看都像是一头在怒吼的骆驼前身。特别是其最上的头部，怒目张嘴，像在诉说着自己的命运，也许是告诉人类："不要再残杀我们，请留给我们最后一片生存的家园吧！"（图片参见彩版6页）

"笑口常开"赏析

这是一块质地不错，四面风凌的硅化木与水晶（石英）的共生体，是由火山活动的多次性和地壳运动的复杂性形成的一种特殊奇石品种。树纹明晰的石体像一个聪明的脑袋，但头上却删繁就简，五官中只留下一个明显的嘴巴，夹了一排石英牙齿，牙齿略显参差，但洁白晶莹，惟妙惟肖，谁看了都会拍案称奇。虽然石口难开，但观之者却是笑口常开。现代人们承受太多压力：工作紧张、竞争激烈、人情冷暖、世态炎凉……难得舒心微笑。此石置于案头，时时观之、品之，能不笑口常开？正所谓：世间冷暖费疑猜，难得舒心笑口开；却喜石兄来作伴，天天送我好情怀。（图片参见彩版7页）

（文/方伟）

探石觅石篇

新疆奇石收藏与鉴赏
The collection and appreciation of rare stone in Xinjiang

沙尔湖的自然景观

逝去的湖泊

　　沙尔湖是个既使人向往又使人畏惧的地方。

　　沙尔湖位于哈密市西南戈壁腹地，为哈密盆地的最低点，海拔最低只有 53 米。它不仅是古代丝绸之路的重要通道和新疆大漠奇石的重要产地之一，还因气候恶劣、道路危险、人迹罕至而著称。

　　2000 年 12 月初，在了解了天气状况后，我们准备好了水和食物，早上 7 时坐两辆三菱越野车，从哈密出发驶向了沙尔湖。从古至今，从哈密市区到沙尔湖有两条路可走：一条是沿当年的丝绸之路北道，即从五堡沿白杨河床朝西南方向走；另一条是从 312 国道十三间房等地朝南走。为了更好地考察这条丝路古道，同时也调查一下传闻中的魔鬼城等雅丹地貌区，我们选择的是第一条路，虽说路程远，危险性较大，但更具有考察和探险的意义。

驶向沙尔湖

　　从哈密市区出发，1 个多小时我们就到了枣乡五堡，这里是哈密古代文明的发源地之一，曾经出土了 3200 年前的古尸。据说，古楼兰国破灭后，一部分人曾经越过库木塔格大沙漠来到这里生息。此时天虽然还没亮，但由于是穆斯林的斋月，路两旁已有人了。汽车驶出五堡

沙尔湖湖心区域

支边农场后，前方就没有了路，也没有了人烟，只能沿古老的白杨河古河床向西驶去。走了近30千米后，此时天已渐渐发亮，我们进入了举世闻名的雅丹地貌区。

雅丹一词来源于维吾尔语，现已成为国际上通用的地理名称，意为风蚀的悬崖绝壁式陡峭小丘。它是由于风力的长期侵蚀，将松散的水平岩层剥蚀成千奇百怪的形状而形成的一种奇特的地貌景观。如遇狂风，飞沙走石，风力受不同形状物的阻挡，发出不同的呼啸，似鬼哭狼嚎，令人十分恐惧和迷惑，故离此地约6千米的一段雅丹地貌区，人们常称之为魔鬼城。我们所看到的这片雅丹地貌区实际上和魔鬼城是连成一片的，但没有魔鬼城的高大、雄伟。它呈东西走向，有的像城堡、殿堂、塔林；有的像蘑菇、金字塔、蒙古包，千奇百怪，形象万千，以后逐渐稀疏，绵延40多千米，有的孤零零地立在平坦的戈壁滩上，仍使人感到了大自然的神奇。

走了近百千米后，周围更加荒凉，连戈壁滩上常见的红柳、骆驼刺也看不到。虽然此时路好走一点，没有了深沟和土丘，但向导好几次对所走的路怀疑，不敢确信是否走对了，只能凭印象朝西偏南走。远处天山上的白雪清晰可见，她像一个戴着面纱的少女，神秘而又庄重。望着天山雪峰，我心里也有了少许安慰，实在找不到沙尔湖，就朝着这位少女向北走去，一定能走到她脚下的兰新铁路或312国道。

汽车穿过几个小山谷，上了一个大土丘，路两旁可看到一些浅绿、浅蓝和土黄色的戈壁石，大小不一。形成的主要原因是风沙的冲蚀和磨蚀作用，棱角分明，是一种绝好的抽象石类观

赏石，可惜此地由于没有流沙，风力也不太强，所以造型好的不多见。汽车越过澎润土矿，上了一个大山谷，转过几道弯，前面豁然开朗，向导说："沙尔湖到了。"我们情不自禁地高声欢呼，五个多小时的劳累和困乏一扫而光。眼前的沙尔湖，湖底光秃秃的一片，不要说没有传闻中的水，连一根草都没有。我们的汽车穿过湖底后开到了东边的木化石出露点，下车一问司机，才知我们从哈密出发已经走了整整220千米。

生命的遗迹——木化石

从哈密的地质构造及其演变过程中，我们知道从古生代至今，哈密经历了由海盆—湖盆—陆盆的演变发展过程。

几亿年前，这里曾是一片汪洋大海，在距今约2.85亿年前海水开始退出吐哈盆地，2.6~1.95亿年前在哈密市西部包括沙尔湖一带形成了吐哈盆地中面积最大的深水湖，当时，由于喜马拉雅山还未形成，受南部特提斯海风的影响，这里的气候温暖而湿润，生物茂盛。

在侏罗纪时期，随着湖水的缩小，哈密盆地西部和南部长满了茂密的森林。大约在距今1.5亿年前左右的一天，由于地壳的运动，忽然山崩

地裂，高大的树木纷纷倒下，被泥沙河水迅速淹没，一些树木变成了煤，而只有极少数的树木由于含矿物质的水溶液渗入树干，与树内物质发生化学反应，久而久之就形成了质地坚硬的木化石。

我们在沙尔湖所看到的这片木化石出露地，位于湖东部一个平坦的断层面上，面积只有10平方千米，是我这几年在哈密看到的分布面积最广、最集中的木化石遗址。

在一些山坡和较为平坦的地面上，散落着大大小小的木化石碎片，颜色灰暗，但树形比较完整，在一些小碎片上可清晰地看到树结、蛀孔和树杈，但作为观赏石来讲，它所具有的科研和收藏价值也许更大一些，而观赏性就差了一些，因为其表面颜色较为暗淡、粗糙，并且光洁度不够。

根据我这几年的考察经验，越是风和沙比较大的地方，木化石（奇石）的光洁度和造型就越好，由于此地地势较低，风沙不大，再加上车辙比较多，估计好一点的木化石已被人拉走。

由于没有发现什么值得收藏的木化石，我考察了位于此地的一个大深沟，此沟呈东西走向，深近10米，宽三四米，估计就是地图中所注的库如克果勒，维吾尔语意为干湖，即古老的白杨河古河道。进入沟底，两边河水冲刷出的峭壁上可清楚地看到各个地质时期的湖底演变情况，恰似一本书，记载了沙尔湖沧海桑田的历史演变过程。在一段

河床的断面上，我惊奇地发现了一层宽约10厘米的黑色煤层，估计是比其上部木化石形成时更早期的沙尔湖植物形成的，据说在沙尔湖周围已经发现了大型煤田，它和三道岭、大南湖煤田连成了一片。

我又到周围的几个小山上转了转，在其断层上对这部"书"又有了进一步的了解。其最上面的一层是接近于耕地中的那种土壤，再往下土质变得坚硬，硬得像石头，在七八米的地方，就是含有木化石的地层，有2米多厚，沉积的泥沙已变成了沉积岩，间杂有一些黑色、灰色的矿物质，一层一层地翻开这层沉积岩，里面可发现一些木化石，完全是当时的树木形状。

在一处山坡上，我发现了一颗巨大的木化石，虽然断成了十几截，但我用脚步量了一下，竟有8米长，另一部分还埋在地下，更奇怪的是树的两头竟一般大小，分不清树冠、树根的部位，估计此树当时应有几十米高。

早在几年前，有人说沙尔湖的木化石是由灌木形成的，而没有高大的乔木，我信以为真，因为我们通常所接触的一些沙尔湖的木化石都比较小，没有发现大的。

通过这次调查，我认为沙尔湖当时的植物生长环境，是非常值得认真研究的，它对于了解哈密乃至新疆气候的变化情况，防止环境恶化具有非常重要的意义。这里的木化石上为何蛀孔较其他地方的多，能不能说明这里的气候特征？而在另一些木化石上，我发现十几个树结全部在一面，是不是能说明当时它是一种藤类植物，受阳光影响只有一面长出了树枝。可惜由于我对植物学了解得不多，不能进行更深的研究。

沙尔湖周围的沙生植物

遗忘了的丝路

沙尔湖的水，主要来源于三堡白杨沟的一条泉水河，这条河流经三堡、四堡、五堡和艾斯克夏尔（破城之意），再向西流到了沙尔湖。

大量的考古资料证明这条河流曾经孕育了哈密的古代文明，西周的昆吾、西汉时的伊吾卢、东汉时的伊吾、唐代的纳职城都在这条河流附近。

这里不仅牧业、农业发达，还是丝绸之路上的一颗璀璨明珠，往来的商贾、使者不断，而当时的沙尔湖据记载湖水荡漾，植物茂盛。

考古工作者还在距五堡乡以西 27 千米的魔鬼城，在被称之为艾斯克夏尔的地方发现了一处春秋战国 — 汉代和一处清代人类活动的遗址，说明到清代时，白杨河水还从这里流过。

自西汉张骞出使西域，开通丝绸之路南北道后，哈密是丝绸北道的主要"襟带"，连通阳关和高昌。

至隋唐，丝绸之路已形成南中北三道，哈密成为中道（原北道）和北新道的交通要冲，历史上称"中华拱卫，西域襟喉"。当时哈密以东的路线与兰新公路星哈段大致相同，哈密以西则有较大变化。

它从三堡分道，一路向南经四堡、五堡、沙尔湖、鲁克沁去高昌；另一路向西北经十t墩、十三间房、鄯善至高昌。

唐三奘法师西天取经，就是从五堡经沙尔湖去的高昌；而宋朝时期，三延德、白勋出使高昌，不知为何没有走这条离高昌最近的路，而改走经十三间房去高昌的路，估计此时沙尔湖四周的环境已经恶化，以后这条路就被人遗忘了。

在解放前的哈密厅图和 20 世纪 50 年代 1：10 万的地图上，都标明了沙尔湖的位置，并且在 1：10 万的地图上，标出的湖水面积经测算也还有 1 平方千米，在其流域中还有大大小小的泉眼，估计当时白杨河也只是一条季节性的河流。

解放后，由于修建了五堡水库，截断了白杨河水，沙尔湖便彻底成了一个死亡的湖泊，无论是在地图中，还是在现实生活中，它永远都被人们遗忘了，曾经商贾、使者不断的这条丝路古道也永远地留在了一些史书中。

河流、绿洲与文明

在西部，特别是在新疆，文明的每一步发展总是和水联系在一起，水总是起着决定性的作用。

有了水，才有了绿洲，也就有了人类文明的延续。无论是考古发现的哈密最早的人类活动遗址——三道岭细石器遗址，还是在丝绸之路上曾经辉煌一时的四堡唐代纳职城和其重要通

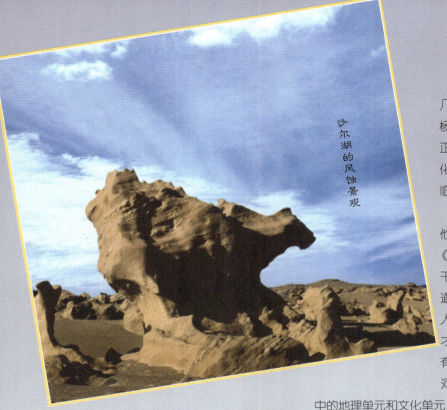

沙尔湖的风蚀景观

几百千米外沙尔湖白杨河水的现状，我们正面临着干旱和沙漠化的威胁，同时也面临着生存的挑战。

著名学者王嵘在他的长篇纪实文学《无声的塔克拉玛干》一书的序言中写道："只有河流、绿洲、人类活动三者之间，才存在着相互依存、有机结合的关系。而河流区域，既是沙漠中的地理单元和文化单元，又是绿洲和人类活动的纽带。绿洲的变迁，人类的变迁，无不与河流的变迁互相联系，互相影响。由此，我们就能寻找到沙漠人类活动环境变迁的症结所在。""沙漠因为有了河流，才有了绿洲，才有了绿色的通道，也才有了人类生活。"

沙尔湖，你虽然是一条逝去的湖泊、死亡的湖泊，但我们从你历史的沧桑巨变中，看到了丝绸之路的伟大和艰辛，也看到了人类无休止砍伐树木，造成生态失衡，致使你满目荒凉、寸草不生和风沙掩埋的现状。

在中央提出实施西部大开发，并且将生态环境建设与保护作为战略重点的今天，你得以重生的时日应该不再久远。

道沙尔湖，以及哈密以南几百千米外被风沙掩埋的楼兰古城，其消亡和衰落的历史总是和水联系在一起。

一条黄河曾经孕育了整个中华民族的文明，同样，分布在天山南北的一条条河流也养育了新疆人民，传承了文明。古楼兰王国虽然制定了世界上最早也最严厉的《森林法》，但随着塔里木河水量的日益减少和消失还是被湮没在了漫漫黄沙之中。

登上天山，朝南望去，天气晴朗时，可清晰地望见哈密绿洲以及它周围的一片戈壁和沙漠，这时你能感受到戈壁沙漠的广袤和我们生存的绿洲的孤独。1999 年 7 月，在二堡挂职期间，我曾和乡政府的同事去了趟穿过三堡的白杨河，在曾经是大水冲过的古河床中，流淌的白杨河水还漫不过我的膝盖，前几年甚至发生了五堡水库干涸的事情，这就是那条曾经流到

新疆奇石第一村

在新疆鄯善县七克台镇以东，312 国道附近有一个叫南湖村的村子，全村几乎家家户户都捡石、贩石和藏石，是鄯善县奇石的主要销售区。

每天这里都吸引着来自乌鲁木齐、哈密乃至北京、上海、四川、广西和甘肃等地的石商和奇石爱好者到此购石、选石，被一些新闻媒体和广大奇石爱好者称为"新疆奇石第一村"。

南湖村是一个回族聚居区，虽然地少人多，自然条件恶劣，但近几年全村人靠石头却成了鄯善县最富裕的村子。

在 312 国道穿越该村的路边空地和店铺中，摆满了各种各样的奇石。走进村子里，几乎家家户户的门口都竖立着两块大型奇石，高的有四五米。走进村民的院门，院子里堆满了石头，只留有人走道的一块地方，石头多的人家，连地里都堆满了石头，有十几吨重。一些好一点的奇石，都被村民们清洗干净，配好底座放在了房内的桌子、窗台上。

2000 年以来，村里先后建成了"南湖奇石交易市场"和"大漠奇石旅游城"两个奇石专业市场。一百多位本地农民甚至河南、山东等外地人在此开店，常年展览销售奇石。

七克台南湖村的石头，80%以上都是风凌石，这里的风凌石主要产自距七克台以南越过百岭山 197 千米处的一座无名山，目前该山被当地人称为风凌山，和哈密马蹄山在同一个纬度上。

这里出产的风凌石和哈密马蹄山的风凌石相比还是有一些差别，主要是七克台的风凌石石质没有马蹄山的坚硬，大部分呈灰色，许多石头上的杂色比较多，但此地的风凌石产量大，高达两三米的大型奇石多。主要原因我想也许马蹄山的石头开采的时间较长，目前已经枯竭，并且只有马蹄山及其西边几个被称为小马蹄山上有石头，不像七克台的风凌山面积比较大。

由于七克台南戈壁的地质和气候条件接近于哈密南湖戈壁，故此地还出产一些玛瑙石、珊瑚化石、水晶石、贝类化石、火山岩和当地人称之为戈壁玉、彩石一类的奇石，其石质、颜色、造型有些优于风凌石，往往有一些奇石精品。

从收藏角度看，我认为这类奇石的收藏价值是非常高的。2001 年 10 月，我第一次来七克

以南湖村农民为主开办的南湖奇石交易市场。

台镇时，看到一些戈壁石和被当地人称为果子化石的奇石，感觉到非常珍贵。但由于知名度不高，价格也不贵，已被人选购一空。

七克台镇南湖村人不仅在鄯善县境内的戈壁荒漠中觅石、探石，还远到哈密南湖戈壁和奇台县将军戈壁探石。由于鄯善县境内的戈壁中不出产硅化木，加之硅化木的价高易销，因此，当地人也在这两地拉运硅化木。

南湖村邻近哈密十三间房、沙尔湖一带，直

南湖村国道边涛售的缅甸硅化木。

线距离还不到 100 千米，早在 2000 年底，就有人在沙尔湖一带拉运木化石。

七克台和奇台都是契丹语的音译，都因契丹人曾居住而得名，两地虽有天山阻隔，但当年契丹人占据七克台绿洲后，向北进军天山北坡，开辟了由七克台翻越天山通往奇台的山间古道。古道很窄，120 千米的路程仅能容一辆车

通行，并要翻越 3500 米高的冰川达坂，穿过百米深的大峡谷，每年仅在 5 月至 10 月才能通车，遇上阴雨天两三天都不能通行，沿途仅有几座哈萨克毡房。为了拉石头，该村人又重新走上了这条古道，他们加固引擎和水箱，上坡时车头压个大沙袋，下坡时放瘪车胎，过冰达坂时先铺上毛毯卸下货，翻过达坂后，再装车。就这样，凭着冒险和吃苦精神，他们从奇台拉运了近 2000 吨硅化木。

七克台南湖村之所以被称为新疆奇石第一村，我想主要由于当地丰富的奇石资源和他们这种吃苦冒险的精神。

据悉，当地人探石、贩石的时间并不长，主要是受哈密奇石收藏热的影响。大规模经销始于 2000 年年底，2001 年达到了顶峰。刚开始时只贩不藏，只要有人出价就卖，价格也不高，加之对石文化知之甚少，对奇石价值只以奇、怪为标准，以块大为标准。近一两年才开始注重收藏，但奇石精品早已流落到了外地。

据我所知，早在 2000 年初，一位北京杨姓石商，就派人在此购石，先后向北京发了几十车皮的风凌石。此后，哈密人和乌鲁木齐人才开始纷纷到此购石。从目前的情况看，此地的石头资源也面临枯竭，因为出产风凌石的小山已没有自然散落的石头。

目前，七克台镇市场上的风凌石除了本地产的外，还有罗布泊地区一带的石头，有些农民甚至开车到甘肃马鬃山一带探石、采石。

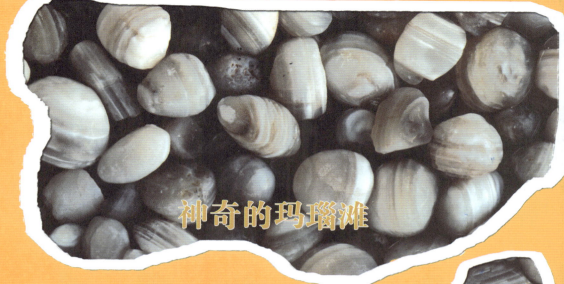

神奇的玛瑙滩

在新疆伊吾县淖毛湖镇靠近中蒙边境的戈壁滩上,有一块神奇的地方,在方圆几平方千米的地面上,散落着大大小小、五颜六色的玛瑙,当地人称此地为玛瑙滩。

玛瑙滩的玛瑙石,既有红、蓝、绿、黄等颜色,也有缠丝、苔纹、竹叶和珍贵的水胆玛瑙。不同颜色的层、带或纹相间叠积,形成不同的图案花纹,美丽动人。

在一些玛瑙石的断面上,有时可以看到不同的图案,有的像山川日月、亭台楼阁,有的黑白、红白相互交织在一起,是绝妙的图纹石类观赏石。一些玛瑙由于常年受到戈壁滩上风沙的

吹打和磨砺,形成了绝妙的造型石类观赏石,有的像鸟兽、人物,有的像名山大川,其造型和五颜六色的颜色交织在一起,如果搭配巧妙,主题明确,是难得的奇石精品。但这里的大部分玛瑙都呈椭圆状和片状,一些玛瑙由于发育不全,砸开后里面有被称为"棉"的东西。在另一些玛瑙中,有时可以看到晶莹剔透的水晶,有无色的,也有顶部带紫色的紫水晶,最奇的要算水胆玛瑙和玛瑙响石了。

所谓"水胆玛瑙",就是在一块玛瑙石内部,有一个相当大(一般在几厘米)的封闭空洞,洞中装有不少水,用手摇动时可以听见"咕噜、咕噜"的水声。如果玛瑙呈透明状,还可看到水在动,因其空洞天生密闭,故水不会流出来。

由于其中的水是当时玛瑙形成时包裹在内的,故这些水是几亿年前的水了,这真使人感到大自然的奇妙。

我 1993 年在淖毛湖期间,也只看到过两块从玛瑙滩捡来的水胆玛瑙:一块是砸坏的柱状半透明的玛瑙,水已流干,可以看到中空的腔。另一次在一个维吾尔族农民家里,主人拿出了一个圆形的玛瑙,用手摇动时可以感觉到有水在动,由于开价太高,只好作罢,但总算开了回

这块是采自伊吾玛瑙滩的玛瑙石——马头石。

131

眼界。

曾经有一首歌是这样唱的："有一个美丽的传说，精美的石头会唱歌。"而在自然界中，不要说石头会唱歌，能发出声音也是很少见到的。

大自然就是这样神奇，在玛瑙滩的一些玛瑙中，就有会发出"哗泠、哗泠"响声的响石。这种响石与一般的玛瑙形状无异，其显著区别是重量轻，放在手上一掂，就可以明显地感觉出来，用手摇动便可发出声音。其实，这种玛瑙如果我们了解了成因，也不觉得奇怪。它是一种空心玛瑙，形成时空腹中生长了水晶或水晶簇，由于长期暴露在戈壁上，戈壁滩上昼夜温差大，或者玛瑙之间的相互碰撞，使水晶脱落在空腔中，摇动时就可发出声响。

自古以来，玛瑙就被视为珍宝，被列入到宝石行列，也是人类最早利用的宝石。大约在公元前4000年的今欧洲东部的爱琴海文化中，就发现了玛瑙制品。我国利用玛瑙的历史也很久远，在山西一座战国时代墓葬中，就出土过玛瑙杯，以后历代都有玛瑙制作的器皿和雕件，玛瑙鼻烟壶在清代曾经风靡一时，蒙古贵族所使用的玛瑙鼻烟壶还曾是一种身份的象征。

以后，随着玛瑙的大量发现和自身物理性能的一些原因，玛瑙逐渐退出了宝石行列。但近几年随着赏石文化的兴起，与玛瑙同属于石髓的南京雨花石声名远扬，内蒙、宁夏等地区玛瑙观赏石的开发，使古老的玛瑙石又重振雄风。

近几年，随着赏石热的兴起，淖毛湖的农民也开始捡石、藏石、售石了，一些人因此而发财，一些外地人还不远万里到那里购石，淖毛湖的奇石终于引起了人们的注意并体现出了它的价值。

我想石头不仅仅能带给我们金钱，它的价值不仅体现在它的价格上，它所赋予我们热爱生活、热爱自然，从自然中去感悟生活和人生，才是它价值的真正体现。

其实，在目前藏石、赏石界，又有多少人能真正懂得奇石所赋予我们的启示呢？

伊吾淖毛湖胡杨林

大海道鄯善境内发现的石球，分布在长1千米的山坡上。

神秘的石球从哪里来

在新疆这块美丽富饶的大地上，各族人民创造了历史悠久、丰富多样的文明，既给我们留下了许多宝贵的文化遗产，也给我们留下了许多历史、地理之谜，引起了国内外一些专家学者的瞩目。

在这些历史、地理之谜中有许多和石头有关，例如阿尔泰山三道海子石堆大墓、天山深处的古代岩画、草原鹿石及石人等，以及2004年在鄯善南部戈壁发现的大面积神秘怪石圈。对这些神秘的石头，有许多不同的解释，有"独目人"之说，也有原始先民之说，更有一些人认为是外星人所为。

在这些神秘的石头中，有一样东西特别奇怪，那就是石球，它的出现更使这些神秘的石头充满了迷雾。

最早发现的神秘石球

新疆最早发现的石球是在中蒙边境的奇台县北塔山地区。1979年，新疆的水文地质专家在北塔山一条山谷中作业时，突然惊奇地发现在山坡上和断层中密密麻麻地散布着许多滚圆的石球。这些石球大小不一，小的仅有乒乓球大，而大的直径竟达一两米，当时专家们只是感到奇怪，而并没有深究。

20年后的1999年7月，新疆的考古工作者和当时发现石球的水文地质专家一起又专门来到北塔山考察了这些石球。

为了弄清这些石球的秘密，他们破开了几个大小不一的石球，试图观察内部结构。

令他们吃惊的是，绝大多数石球内部都呈同心圆，有的中间又包着一个更加坚硬的圆石球，有的内部包裹着植物，有的破开后只有单一的石核，有的外形酷似蜗牛。

更为奇特的是他们在邻近的另一条山谷中，还发现了大量带把的石球，看上去像是从地里长出来的，而石把的长短和石球的大小成比例。这些石球包含着什么秘密？至今仍没有解开。

又一处被发现的石球

大海道是古代丝绸之路上连接吐鲁番和敦

煌最近的一条路。它全长
500多千米，是已知的14条
丝绸之路中最后一条未被探
明的故道。大海道一词的由
来，史书上没有正式记载，大
概是因为这条路上沙碛荒漠
似海而得名。

元代以后，这条丝路古
道由于沙漠化加剧而废弃不
用。明清以来，中外各种探险队都曾
做过穿越的各种努力，但都以失败
告终。

2000年2月，由中央电视台和
中国社科院考古所组织的大海道考
古探险队，在鄯善县南戈壁中同样
发现了这种神秘的石球。

在范围很大的一块山坡上，散布
着大小不等的圆形石球，石球表面浑圆光滑，没
有人为加工的痕迹，大的像篮球、足球，小的像
乒乓球。石球内部的结构和北塔山发现的一样。

据鄯善的石友介绍，这片山坡长1千米，
高200多米，其具体位置在鄯善县城以南160
多千米处。对这一片神秘的石球，当年的《丝绸
之路》、《丝路游》等刊物都进行了详细报道，
有些还配发了照片。对这片石球形成的原因，
至今仍没有统一的说法。

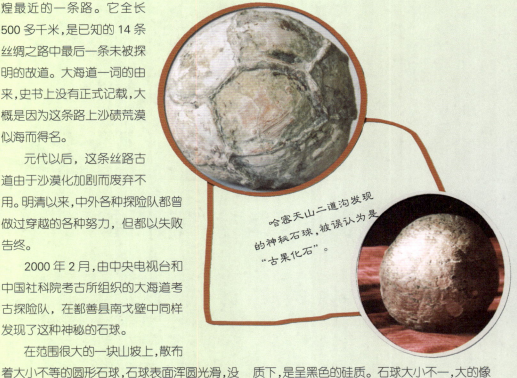

哈密天山二道沟发现的神秘石球，被误认为是"古果化石"。

哈密发现的又一种石球

2002年春，哈密市天山乡二道沟农民伊不
拉音在山中找矿时，在一处山沟中发现了一些
稀奇古怪的石球。

这种石球不同于北塔山和鄯善南戈壁发现
的石球。它表面呈棕白色，在这层薄薄的表层钙
质下，是呈黑色的硅质。石球大小不一，大的像
足球，小的只有杏子那么大，石球上有清晰的纹
路，但没有发现直径超过50厘米以上的。

当时正值全疆各地奇石热的时候，这种石
球一经发现，就出现在了哈密和乌鲁木齐的石
头市场上，一些人为了抬高其身价，称其为"古
果化石"。

由于当时正值世界杯期间，乌鲁木齐的一
些石商又命名为足球石，据说刚开始最高竟卖
到了1.8万元一个，以后随着这种石球的大量
出现，价格开始下滑。目前在哈密市场它只有几
块钱一个，一些品相好一些、大一点的也不过几
十元一个。

植物变为化石后，它以前的一些特征如树
杈、树结、年轮、树皮等都能在其化石上或多或
少地表现出来，更重要的是其被交代的液体即

石化的成分，无论是硅质、铁质还是钙质，特别是硅化木，它的质地总是和一般的硅质岩石有区别，这也就是为什么一些有经验的奇石收藏者虽然面对一块没有任何树木特征的石头，但一般都能看出来一块岩石是不是木化石。而这些石球不仅没有植物果实的丝毫特征，其内部的硅质也没有硅化木的那种质感。

那么，这种石球又到底是什么？

赏石与石球

在赏石界，一些人认为赏石的最高境界是禅石，即人石合一，从奇石中感悟自然、人生的真谛。

这种观点在现代赏石较早的日本、韩国和我国台湾地区比较流行，从日本人称奇石为"水石"、韩国人称"寿石"上就可以看到这种思想，禅石这一观点目前在国内还有争论。

所谓禅石，其实石头造型都比较简单，既不强调中国传统的赏石观，也不以现代赏石观为标准，它强调的是个人对石的感悟和理解。而一些石球就是这种禅石的重要类型。

日本人把水晶制成石球以求与神灵交流。一些具有内涵，颜色沉稳的石球也常常是这种禅意的对象。当然提到这些只是说明人们对石球与生俱来的神秘感和神奇感的敬畏。

至于新疆发现的这些石球，能不能作为禅石，还要根据每个石球的情况来看。

目前鄯善发现的这种石球已被一些探石者所开发，它们和南湖戈壁发现的火山弹、二道沟的石球都出现在七克台镇、哈密乃至内地的一些奇石市场上。值得一提的是，这类石球或其他类型的石球作为赏石的一个品种，也有它的收藏价值，对一些真相不明的石球更要引起注意。赏石的本质在于悟，对于一个赏石者来说，石头的形状、颜色、质地只是一种客观对象，其内心的感悟才是赏石的真谛。

它们从哪里来

石球在世界其他地方也屡有发现。最早是1930年一支美国考察队在哥斯达黎加发现的一片神秘石球。

这片石球有200多个，表面异常圆滑，好似人工打磨，大的直径也有一两米。

后来人们先后在巴西、墨西哥、德国、新西兰、埃及等地也发现了石球。

对于这些神秘石球的形成之谜，科研工作者和科学家都希望能尽快解开它的谜团，进而

新疆南湖戈壁上的风蚀球状景观。

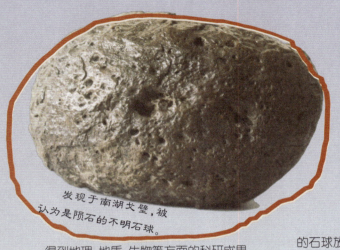

发现于南湖戈壁，被认为是陨石的不明石球。

得到地理、地质、生物等方面的科研成果。

虽然目前各种观点很多，莫衷一是，但归纳起来，主要有以下说法：

一是火山喷发而形成的。有两种情况：火山喷发的炽热岩浆，在强大的地心压力作用下，冲腾到空中，在高空中遇冷空气凝结，然后散落到地面，形成了石球；另一种是大量高温岩浆顺山移动时逐渐冷却，在结晶过程中，以结核为中心向四周均匀扩展而形成了今日看到的圆球。

二是地质作用的产物。在久远的过去，产生石球处的砂岩和粘土岩刚刚形成并开始硬化，地壳的运动和风化作用使这些岩层产生了大量的裂隙，雨水夹带着一些化学物质和碎屑向下过滤浸透，并逐渐胶结在一起，形成了结核体。结核体越滚越大，越凝结越多，随着岁月的流失，结核体外面的松散层渐渐剥落，由砂粒牢牢聚集在一起的石球就形成了。

三是一部分石球是人为的产物。有的学者认为，它们可能是古人信奉原始宗教而雕刻的星神或

祭品。也有人认为，制作石球的先民以为灵魂可以与人的肉体分离而独立地游荡，人死后灵魂不灭。在这种观点支配下，雕刻石球以作为坟墓的标志或象征，认为死后灵魂将寓于石球之中。还有人认为，远古先民为了显示圆形的美，由此制作成石球艺术品。甚至有人认为这是石球货币。

四是石球可能与地球外文明有关。有的科学家认为，这些大小不一的石球放在那里有一定目的。也许它们代表天上不同的星体，彼此相隔的距离表示星体间的相对位置。这很可能是宇宙来客留给地球的纪念品，向人类传递某种信息。有人认为石球与外星使者乘坐的某种球体飞行器在地球上着陆有关。

这些神秘石球是上述何种原因所致，这一谜案还将继续留在历史的长河中等待人们去破解。（图片参见彩版29页）

鄯善发现的石球

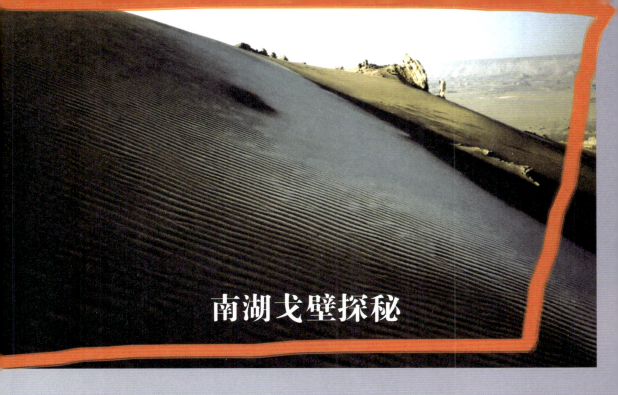

南湖戈壁探秘

新疆,历来以其高山、沙漠和戈壁的博大而闻名全国,那些一望无际、苍苍茫茫的大戈壁总是给人以神秘、荒凉的感觉。

其实,广袤无垠的戈壁荒漠也并不是一无所有,也许在昨日的历史中,那里也曾有过绿洲、河流和文明,有些被我们所发现和了解,而有些也许会永远湮没在那荒漠中。

现在兰新铁路以南的哈密南部地区,汉代以来统称为莫贺延碛,唐代有八百里瀚海之称,后来又称之为葛顺(哈顺)戈壁,葛顺系蒙古语艰难困苦的含义,就是指没有水草的戈壁。现在人们一般将它称为南湖戈壁。

本文所记录的这四件地理之谜,是第一次撰文披露它,只是笔者和哈密奇石爱好者这几年在南湖戈壁发现的一些和石头化石有关的自然奇观,其真实的谜底还有待于专家、学者进一步考证。

神秘的石头建筑

近几年随着赏石热的兴起,一批又一批的探石者走进了戈壁深处,在对奇石的探寻中,有些人发现了戈壁中的一些奇怪现象,哈密南湖大峡谷发现的神秘建筑,就引起了许多人的关注与争议。

南湖大峡谷一般也俗称为大西沟,地处戈

哈密南湖大峡谷中的神秘建筑遗址。

大峡谷建筑遗址上的石块。

壁深处,距哈密市 100 多千米,是大漠石的重要出产地之一。峡谷长 20 多千米,宽约 5 千米,深约 1.5 千米,呈南北走向,气势雄伟,自上而下呈阶梯状分布。长期以来,南湖峡谷都处于封闭状态,很少有人光顾,所以它总是遮盖着一层厚厚的面纱。

2002 年年初,哈密奇石爱好者张昕中等人在这里发现了一处神秘的石头建筑遗址。一些人认为这些建筑群是风沙长期研磨而成的,另有一些人则认为是人类活动遗迹,可能是古代丝绸之路上的另一条重要通道。

走进峡谷中,有一些多处类似于城堡的建筑,大都沿着河谷整齐有序地排列着,最明显处好像是人工堆砌而成,石块相互错缝砌成,吻合严密,墙面石块有纹路,像人工打磨过,每块长约 1.8~2 米。这些石块除一部分仍在墙体上,其余大都散落在墙体周围。

在离此建筑大约 1 千米的地方,又有一处人为特征更为明显的遗址,石块堆砌整齐,四四方方、有棱有角,像是一座城堡的地基部分;有一处的墙体建筑比较特殊,墙体与墙体之间还夹杂有一层石片,像这样的建筑体还有许多处,都在谷底一带静静地矗立着,在向世人诉说着什么呢?更有一个证明此处是人类遗址的证据是在峡谷中还发现了古代人类使用过的一些陶器碎片,这是否是那些建筑群主人的遗物,不得而知。

这片神秘的遗址之谜没能解开之时,另一个奇怪的葫芦化石的出现又给这里蒙上了一层神秘面纱。

奇怪的葫芦化石

2002 年 5 月,哈密火箭农场的维吾尔族探石人在大峡谷神秘建筑物遗址的石墙附近捡石头时,在地下竟挖出了一件葫芦化石。

这个葫芦化石是用来盛水的,带有明显的人类劳动遗迹。化石高约 70 厘米,表面附有古生物的遗迹。最令人奇怪的是,此葫芦的腰际间竟有一圈皮绳的纹路,皮绳编制有图案,呈黑色。

像这样的葫芦,目前在新疆的一些农村,农民们仍然在种植和使用,哈密回城、花园、四堡、五堡的农民在下地干活时,一般都会在毛驴车的前架子上挂上这样一个葫芦,里面灌上热开水,放在地上凉几个小时,再热的天在地里干活时喝它也是凉的,维吾尔族人戏称它是"小冰箱"。目前人们仍然使用的这种葫芦,特别是腰部都系有皮绳的葫芦,为什么会变成化石呢?

按照地质学家的观点,化石的形成年代至少要在 1 万年以上,如果这个观点成立,那么这个葫芦化石把哈密大峡谷的文明史起码上推至旧石器时代或者更早的年代了。那时的新疆还是一个人迹罕至的地方，更没有农业和畜牧业，葫芦及腰际间的皮绳更无从谈起。

难道这件神秘的葫芦化石就和大峡谷中的木化石和古代生物化石一样，是一亿多年前人类还没有出现时的产物吗？难道它也是一件"赛帕茨"（指不符合场合的加工物）吗？同美国内华达州菲夏峡谷中的1.9~1.6亿年前石灰岩层中的鞋印、乌鲁木齐一退休地理教师在2.7亿年前左右的地层中找到的一块有鞋印的古鳕鱼化石一样，都是被一些科学家们或者一些宗教认为是地球上曾经出现过几世代人类文明的佐证吗？现今人类的历史是从200万年~300万年前开始的，而这些化石的年代至少形成于1亿年以前。

这件奇特的葫芦化石以及石头建筑遗址之谜还有待于人们进一步破解。

红土中的巨兽化石

现代生物的祖先及其远亲们的历史有30多亿年，而人只是从500万年前的某种生活在非洲大陆上的猿变成的。现代人类有文字的文明历史也不过1万年左右，与30多亿年的生命历史相比，人的一生或者现代生物的一个世代显得是多么微不足道。根据现在对生物化石的研究分析，科学家们又推测大约每5000~10000种古代生物中只有1种能够幸运地变成生物化石而留存下来，让我们能够认识地球生物演变的历史，告诉

这个神秘的葫芦化石，包含了太多的历史、地理之谜。

发现于哈密五堡魔鬼城的大型古脊椎动物
化石（长72厘米，宽54厘米）。

我们生命的起源。

　　新疆向来以地大物博著称，在这片古老的土地上，同样经历了地球历史的各个时期，含有大量的古生物化石。

　　在准噶尔盆地西部，由于裸露大面积的二叠系、三叠系、侏罗系和白垩系地层，发现了大量的恐龙、翼龙、二齿兽、水龙兽等古脊椎动物化石，可以说是一个极为丰富的古生物化石宝库，是新疆的"恐龙之乡"。乌鲁木齐、吐鲁番等地的科研工作者也先后发现了鱼类化石。1994年秋在修建兰新铁路复线时发现了巨犀化石骨架和一个大型古动物化石，其后在这块盆地上还没有发现报告。

　　记得在2000年初，我在哈密五堡农民家中购买石头时，听一位维吾尔族朋友说在五堡以南一片戈壁上，发现了一块动物化石，仅一块骨头就有羊那么大，并带我去有化石的人家里看。

　　这块化石不知是什么动物的什么部位，虽没羊那么大，但至少有脸盆那么大，呈白色，骨质疏松，已完全石化。化石的主人说，这块石头已经拿回家好几年了，可以当止血药用，有创伤时把骨头敲碎撒在上面，很快就能止血。我学着用书上介绍的经验用舌头舔了舔，果然有粘性。

　　出于好奇，我决定去看一看。在五堡以南一个红色的断崖下的岩层里，许多白色化石，一共有5处，有4处化石已破碎，砂岩上模印清晰可见，已被人破坏。在一处化石出露点上，可看见一块巨大的化石，宽有半米，高约10厘米，一半已被人取走，但另一半和岩石粘结在一起。

　　在山崖的中部距离地面约有10米的地方，可以看到一块露出来的有1米多的一块化石，估计是由于不好取走，而没有被破坏。

　　近几年随着新疆赏石热的发展，在奇石市场上经常可以看到一些动物的牙齿、骨骼化石。近一两年，从兰州运过来的鹿头化石充斥着哈密、鄯善奇石市场，开价都在万元以上。此事已过去四年多了，不知那里的化石还在不在，希望这块化石出露点能引起有关方面的注意。

奇异的岩石

在哈密市东南约 135 千米处的南湖戈壁，有一个目前正在开发建设中的大型铜矿，矿床内有一座神奇的小岩丘，它可以使指南针和罗盘上的指针发生倒转！

这座岩丘，呈狭长形，长约 110 米，宽5~10 米，高 5 米。当你水平地手持罗盘从远处向它走近时，会发现罗盘中原来始终指向南北的指针开始顺时针旋转，直至你走到小岩丘脊峰上，罗盘指针正好旋转了180°；当你从脊峰上背离它继续前行时，指针又会逐渐转回到原来的南北指向，真让人不可思议！当你随便从岩丘上敲下一

块岩石，都会发现它有很强的磁性，并具有南、北两个磁极。

这种异常现象是当时地质队员在勘察铜矿时发现的，目前在世界上还未见过类似的报道，因此引起了许多地质学专家们极大的兴趣。

地质工程师根据这种异常现象，在岩丘下部布置了钻孔，结果在岩体深部钻出了厚 140 米的铜矿体，发现了这个隐伏的大型铜矿床。

面对这广漠寂静、连绵起伏的丘陵，你很难想像，在远古时期，这里曾有过火山爆发、岩浆喷射、天崩地裂、山倒石转的壮丽景观，大自然为我们留下了它的杰作——这座奇妙的岩丘，留下了这场惊心

位于新疆莪顺戈壁的南湖大峡谷，不仅是新疆大漠石的重要产地，还有许多待解的历史、地理之谜。

戈壁巨石

动魄的地质时间的记录!

据考证,现在岩体中的磁化强度由两部分组成:一部分是被地磁场磁化形成时感应磁化强度;一部分是岩石初始形成时受古地磁场磁化所获得的磁化强度而保留下来的剩磁,对于这个磁性偏转的小岩丘来说,其后者显然比前者大得多,这是岩体磁性发生偏转的主要原因。

另一方面,古地磁学的研究表明,地质历史时期,各时代的地磁极位置是一直处于变化状态的。该地区超基性岩形成于华力西期,而根据地质学家的测定,推断当时地磁北极位置大约在今天的东经150°、北纬30°附近的位置,也就是在日本群岛以东的太平洋西缘海域内。说明在岩体形成时的古地磁场的磁极方位到今天已经发生了很大的迁移。

正是由于地壳活动使岩体的初始位置发生了改变,引起该地磁极迁移变化的复合作用,以及岩体本身又是一个强磁性体,才使我们今天能见到这一奇异的地质现象。

史前博物馆

在新疆准噶尔盆地南缘奇台县等地有一片广袤神奇的荒漠戈壁，这里分布有大量的古生物化石。

在这个被专家称为"史前博物馆"、"准东瀚海博物馆"的地区，有一条南北宽70多千米、东西长200多千米、面积近1.5万平方千米的荒漠戈壁地带，分布着8亿年前至1.45亿年前的二百种海相地层生物和陆相地层生物化石。

来到这里，犹如走进了时光隧道，不仅可以了解地球沧海桑田的历史演变过程，观看几亿年

前的古动物和古植物生长形态，还可以看到古老的地层被风沙吹蚀后形成的"魔鬼城"、"五彩湾"等雅丹地貌区，时光仿佛倒流，使人回到遥远的远古时代。

在太古时期，这里曾是汪洋大海。后来由于地壳运动，大海才变成湖泊，湖泊又变成现在的陆地。大量的海洋生物和水陆两栖生物，经亿万年的地壳运动，仅极少数地保存下来了生存遗迹和遗物，变成了化石。这里较为著名的海相地层生物化石有珊瑚类、腕足类、双壳类、头足类、腹足类和海百合等，陆相地层生物有恐龙和木化石等。

在一条被称为恐龙沟的地方，中外科学家先后发掘出了四条恐龙化石，分别属于兽脚类、蜥脚类、龟鳖类和鳄鱼类。其中现存放在中国古脊椎动物所的一条蜥脚类恐龙化石每节颈椎长1.5米，颈肋长达4米。

据推算，其当时身长应有30米，高10米，重达60多吨，被称为亚洲第一恐龙，是我国目前所发现最大的恐龙化石，仅次于美国所发现的34米长的恐龙化石。

在这里被称为"石钱滩"的一个地方，集中了数十种古生物化石，数量极为丰富，散落于地表的化石以海百合茎、珊瑚和腹足类最多，满地皆是。尤其是海百合茎化石常常断裂成短柱状或薄片状，中部有空腹，恰似一枚枚古钱。

这里的木化石遗址，集中在一条12平方千米的被称为"石树沟"的沟内，红色砂岩和泥岩构成的丘陵区，更显现出了这里的沧桑和荒凉，如外星球表面。

这里分布着距今1.45亿年以前的中生代侏罗纪松柏、苏铁、银杏和鳞木等高大乔木的化石，其树干、树皮、年轮、树结、树根及少量果实的形态保

奇台将军

戈壁冬景

存完整，清晰可见，有的裸露于地表，有的掩埋在地下，据说共有3000多颗。

在石树沟沟口，可看到小山包上鳞次栉比的"碉堡群"。走近一看是残存的树根，根须牢牢地将山丘包围住，和生前一样在履行着防风固沙的作用。众多直立的树干，虽经风沙侵蚀和人为破坏，断裂倒伏，有的仍有3米多高，直径有2米多，露出地表的根须长达30多米，足见当年生长的茂盛。

横卧地表的硅化木满目皆是，有的自然倒下，断成数节；有的经人为破坏后，被砸成了碎片，散落在四周。有一棵硅化木，横立在两座小山丘中间，下面悬空，好像一座独木桥。有一株较大的硅化木，长有10米多，上下直径相差有20多厘米，估计此树当时应有近百米高。

古朴自然的硅化木与这里粗犷豪放的大漠风光浑然一体，交融辉映，伴以周围的雅丹地貌，在落日的余晖下，显得那样的神奇莫测，给人以无限的遐想和回忆。

奇台将军戈壁一带的木化石，主要是玛瑙质地的硅化木，它在数量、规模和地理环境上同北京、四川、哈密等地区的木化石相比，更具有科研、考古和旅游价值。

从观赏性来看，虽然其木化石的磨砺程度、个体的大小和品种、颜色等方面比哈密的差了一些，但由于它邻近乌鲁木齐、昌吉，交通便利，又邻近阜康天池和吉木萨尔北庭故城等旅游热点地区，同其周围的"恐龙沟"、"石钱滩"古生物遗址和"魔鬼城"、"五彩湾"等雅丹地貌区，构成了一幅独特的侏罗纪等史前历史画卷，完全有可能建设成为中国乃至亚洲最大的地质地貌主题公园。

马蹄山散记

马蹄山是一座名声在外、而许多人却并不了解的一座奇石山。

1997 年我去上海出差，在一家奇石馆和馆主聊天，当他知道我是新疆人时，就指着一块风凌石说："这就是你们新疆哈密马蹄山的

名称由来

马蹄山位于哈密南湖戈壁最南部，呈南北走向，长约 3 千米，高 60 多米，和巴州若羌县交界。在它以南就是神秘的三垄堆和罗布泊，

本书作者于 1998 年在马蹄山采石留影。

石头。"当时我对奇石只是有好感却并不了解，更不知道哈密有马蹄山这样一座奇石山，不知对馆主说什么好。

自 1998 年我随《新疆日报》社的记者一起到雅矿采访并到马蹄山考察至今，几乎每年都要去马蹄山觅石、采石，对这座奇石山的情况有了更深的了解和认识。近几年，随着奇石收藏热的兴起，一些人以拥有一两块马蹄山的风凌石而自豪，但更多的人只闻马蹄山其名，而不知其真面目。

其东南 100 多千米是历史上有名的玉门关。据说，20 世纪 60 年代地质工作者进行地质调查时来到这里，看到它独立于戈壁之中，其形状又像马的蹄子，故起名为马蹄山。在 20 世纪 60 年代以前的地图中，看不到它的名称，现在一些详细一点的新疆或哈密地区区域图中，有时常常出现它的名字，并和南湖煤矿在同一个经度上，直线距离只有 100 多千米。但从哈密到马蹄山，只有一条路可走，那就是沿 312 国道和雅矿专用公路到雅矿，再沿运矿石的道路

过东盐湖、南盐湖，经磁海向西才能到达，全程共 310 千米。

关于马蹄山风凌石的来历，源于一个美丽的神话传说。

相传在远古时期，西王母邀请一位仙女到瑶池赴会，路经哈密时，由于马蹄山等地是西域有名的风区之一，东有安西风库，西有十三间房百里风区，仙女的满头首饰被狂风吹落在这一地区，变成色彩缤纷的风凌石。其实，马蹄山这些造型各异、五彩斑斓的风凌石，不是来自天上仙女的首饰幻化，而是大自然在千万年历经变迁所留下的风景。

这道风景不仅有鲜花绿叶，也有寒霜和冰雹；不仅有惊心动魄的沉降和隆起的运动，也有大漠风沙磨砺吹打的考验。总之，其生命的轨迹，就是一部令人感叹的自然地质、地理变迁史。

寻石方法

要到马蹄山找到一块好的风凌石，作为赏石主体的找石者首先要懂石，要具备一定的鉴赏能力。风凌石不同于硅化木，可以总结出一些树结、树杈、年轮或奇特等规律，虽说古人总结出了"丑、漏、透、瘦、皱、秀"的赏石标准，但到了山上人往往会眼花缭乱，捡了这个又扔了那个，在山上时哪块石头都好看，拿回家却发现是一堆废石。

最好的办法是捡到石头后放成一堆，做个标记，返回时再从中挑选一遍，有了对比才有优劣。选回来的石头最好要有主题，风凌石中的山水景石是比较好的，如果一块石头的山势、山形、主次、远近、颜色搭配都比较好，那当然是块精品了，如果只占一项，那也是块好石头，因为

作者 2002 年最后一次到马蹄山觅石时得到的纪念品

随着捡石人的增多，这样的石头过几年也许捡不到了。

到山上捡风凌石时，也要选择好地方。马蹄山比较大，各山顶和山沟中的石头风凌程度、颜色、光泽都不一样，一般来说，山顶的石头受到风沙磨蚀和吹蚀得比较强烈，要好一点。另外灰岩中石英越多，石头的组成越复杂，石头就越好，色彩越多的石头，石形变化也越大。

在一些有流沙的地方，有时可将一些露出一角的石头用手搬动一下，若能搬动最好挖出来，也许会是一块好石头。在一些大块岩石上，发现其部分地方好时，可用钢钎、铁锤沿裂缝敲打下来，在搬动时，特别要注意轻拿轻放。

我就有过这样一次教训，当时我发现在一块母岩上有一块地方白色的石英上有七八个洞，而同灰岩相连的部分只有拇指粗的两个小石柱，四周全被风砺得光滑圆润，是一块难得的精品。当我撬下来时不小心碰裂了一角，但无碍大事；在返回装箱时，我随手在石头上面一抓，中间的石柱由于太细断成了两截，掉到地下裂了，我后悔莫及。大自然孕育了几百万年才形成的一块精品石头，毁灭于我的一时失手！

开发历史

马蹄山的风凌石是新疆最早开发的石种，也是内地人认识新疆奇石的最早品种之一，有十几年的开发历史。

磁海是位于雅满苏矿以南 100 千米的一片戈壁滩，据说我国资源勘探飞机在飞过此地时，仪器发生了强烈的磁感应，后经地质人员在这里详勘，发现这里蕴藏着巨大的磁铁矿，面积之大在全国罕见，故名"磁海"。20 世纪 90 年代，随着雅满苏铁矿资源的日益枯竭，新钢集团对这里的铁矿资源进行了开发，进驻了一批矿工，由于此地距马蹄山只有 37 千米，可以清晰地看到山体，故当时有许多矿工也在工作之余到山上探石、采石，并形成了风气。

1998 年我在雅矿采访时，参观了工人们收藏的风凌石。这些早期的风凌石精品，全部都是从母岩上自然断裂后又经几百万年的风沙吹砾打磨而形成的，造型变化之丰富、石矶质地之俊美，至今使人难忘。

1999 年、2000 年我去马蹄山时，虽说已不好采拾了，但仍能拾到一些值得收藏的石头。2001 年开始，随着硅化木的枯竭，人们又将目光转向了这里，懂石头的也好，不懂的也好，听说此山的一块石头能值几万元，到了山上见了石头就捡，由于风凌石比较脆，拉运时又不注意包装，损坏了不少。

2002 年 2 月，我带援疆干部最后一次到马蹄山时，山上已无石可采，到处都是风钻在母岩上打过孔的痕迹。不要说采拾自然断裂的石头，想从母岩上取一块都不可能了。为了不使大家扫兴，最后只能带他们到山下平滩处采拾一些小块石头，而我本人在山上转了三个多小时，没拾到一块称心的，最后在山下一处沙丘中发现了一块红色的石头，算是我最后一次到马蹄山的纪念了。

历史与未来

本以为马蹄山这样一个即使是在现代也是周围方圆几百千米荒无人烟的地方，只是近代人们才借助于先进的交通工具和通讯方式才能到达，古人是如何也穿越不了这里的。

但近日阅读了有关丝绸之路"大海道"和"五船道"的文章，才知早在汉代，马蹄山周围竟是丝绸之路"五船道"的重要一站。

史书记载，唐代时唐玄奘从玉门关出发到哈密时就曾穿越过这里，这里是他西行中最为

戈壁深处的矿山

戈壁上本没有路，走的车多了便有了路。

险恶的一段，古代这一带被称为莫贺延碛，上无飞鸟，下无走兽。

据《大慈恩寺三藏法师传》中记载，当年他从玉门关出发后，在戈壁沙漠中沿着白骨向哈密行走，但走了几天后，"觅野马泉不得，下水欲饮，袋重，失手复之"，至第五夜就发生了历史上有名的白马识途找到泉水、救了玄奘的事情，并称此地"此等危难，百千不能备叙。"

解放以后，特别是近几年以来，随着磁海铁矿的开发和罗布泊钾盐矿的探明，神秘的莫贺延碛大戈壁已不再是生命的禁区了。

目前，马蹄山周围的铁矿和金矿已

得到了开发，钾盐矿也已得到了大规模的开发。2002 年，新疆钢铁集团修整了从雅满苏到磁海的公路，并架通了电线，大规模地开发磁海铁矿，使之成为新疆第一大铁矿。

随着国家西部大开发战略的进一步实施，古老的莫贺延碛和罗布泊将不再神秘。2005 年年底，由哈密到罗布泊300 多千米长的二级公路将全线通车，被视为畏途的大漠戈壁将会有一条条现代化的柏油公路，大漠中的奇石将会吸引更多的爱石人去采撷。

玉龙喀什河捞玉

新疆和田玉的矿源一般在海拔4500米左右的昆仑山地段，其矿体呈平行断裂状分布，即民间所说的"鸡窝状"。

产玉之地山势险峻，高寒缺氧，开采极为不易，故产出较少。仔玉原生于昆仑山北坡，暴露于地表的玉矿经日久风化崩解剥落，成为大小不等的碎玉块，又经千万年雨水冲刷至河流内。

莽莽昆仑山中有多条河流，比较著名的玉河有：和田地区的玉龙喀什河、喀拉喀什河，叶城一带的叶尔羌河，泽普勒善河及且末境内的一些河流。山上冰雪融化，河水暴涨，流水汹涌澎湃，这时山上原生玉矿中经风化剥蚀后的玉石碎块由洪水带入河流中，再由河水携带奔流而下。到了低山及山前地带因流速骤减，玉石就呈在河滩和河床中。秋季时气温下降，河水渐落，玉石显露，这时气温适宜，采玉的人可以下水。现在市面上所能见到真正的和田玉，则大多出自和田市郊玉龙喀什河，俗称和田仔玉。这条河不仅出产白玉，也有大量鲜为人知的奇石。

玉龙喀什河也称白玉河，这条发源于昆仑山深处的河流，因蕴藏着和田美玉而被人们所熟知。多少个世纪以来，它总是默默地把从昆仑山上流下来的料石，不断地撞击、冲刷，去其杂质，取其精华，留下了一块块精美的和田仔玉。

每年天气转暖后，当昆仑山上的积

玉龙喀什河（白玉河）洪水过后，便迎来了一批批的捞玉、捡石人。

雪融化，汇集成滚滚洪流，一泻千里地涌出昆仑山，到和田市区河床变宽，流水变缓。当大水过后，便也迎来一批批不辞辛苦的捞玉人，有时最多可达 6000 多人，他们提着羊皮口袋，拄着硬木棍子，着河水，低着头仔细地观察寻找着。

捞玉，顾名思义，是从清澈河水中捞出深山里冲下来的玉石。捞玉并不难，只要能看到河中的玉石弯腰捞出即可。难的是在河中踏玉，夏季水深，泥沙俱下，看不到水下的玉石，只有凭脚的感觉了。和田的维吾尔族人就有这样的本领，他们在河水中行走，脚能辨出哪是玉哪是石，决不会错过。每逢盛夏，成群的维吾尔族人，手挽着手，边唱歌，边在河中踏玉。

踏玉在和田相传已有几千年的历史，一直延续至今。和田至今还流传着古代击鼓捞玉的故事：古于阗国（和田）国王酷爱白玉，并立了国法："每岁秋，官未捞玉，禁止人辄止河滨。"每逢秋高气爽季节，就派将士下河为他"踏玉"，国王坐在岸边观看，宫女持锤击大鼓，当看到士兵在河中弯腰，便击鼓一声。日落，士兵上岸，国王凭鼓声次数向士兵索取玉石块数。清代萧雄诗："玉似羊脂温且腴，昆冈气脉本来殊。六城人拥双河畔，入水非求径寸珠。"就是吟咏这种捞玉风习的。

更有趣的是每当秋风明月当空，玉龙喀什河边便蹲着许多寻玉人，他们俯身仔细观察着滔滔的河水，哪里浪花最白，哪里就可能有美玉，"月光盛处，必得美玉"。20 世纪 80 年代初的一天，玉龙喀什河边两位悠闲的维吾尔族老人，坐在河岸，一边聊天一边抽"莫合烟"，他们

和田街头的玉石地摊不仅出售和田玉，也有许多和田玉奇石和其他卵石类奇石。

突然看到河中一处浪花白得出奇，就挽起裤腿向浪花奔去，果然在这白色浪花下捞出一块千斤以上的上等白玉。当时政府为此还奖励了他们两台手扶拖拉机。

和田周围的人们都有这样的习俗，每逢巴扎（集市），他们有车不坐，有毛驴不骑，而是挽起裤管 水过河，经常在河中捡到和田美玉，到巴扎上一卖，一天逛巴扎的费用就够了。

现在虽然使用机械挖掘，再用筛子细过挑选寻找理想的美玉，但自古流传下来的捞玉传统仍然被人们所采用。

葛顺戈壁（南湖戈壁）既是新疆最大的戈壁，也是新疆木化石、风凌石等大漠石的重要产地。

葛顺戈壁随想

题记：中国的沙漠和戈壁主要分布在新疆，其总面积占全国的55.6%，其中戈壁有29.3万平方千米，占全国的51.4%。新疆的戈壁主要分布在新疆东部，东天山以南一片广阔的石质荒漠地带，是新疆最大的戈壁，地质上称为葛顺戈壁，俗称为南湖戈壁、哈顺戈壁，古代称之为莫贺延碛。

小时候在戈壁滩放羊时，东天山南部浩瀚的葛顺戈壁常使我陷入无限的遐想之中，晚上常梦见那里有海市蜃楼般的雪山、草地、森林和湖泊。长大后经常听到人们谈论那里消失的古城、干涸的湖泊、神秘的魔鬼城、出没的野生动物以及关于财宝、土匪、探险者的故事。神秘的葛顺戈壁啊！有多少秘密埋藏在你的黄沙、荒漠中，又有多少探险者为此而殉命。今天，当我借着与你蕴藏着奇石的机缘，终于在大海边捡到了一只贝壳，也圆了我童年的一个梦想。

戈　壁

走在你这茫茫的戈壁上，满目除了黄沙就是黄沙，除了山丘还是山丘。一些生命力顽强的骆驼刺、红柳、胡杨树还能证明这里是人类生活的地球外，我真怀疑你是不是属于我们这个蔚蓝色的星球。那些海市蜃楼般的雪山、河流和湖泊呢？那些使人向往的森林、草地和牛羊呢？在烈日炎炎的太阳下，我除了看到那虚幻、缥缈的海市蜃楼外，现实中的你什么也没有。

其实，如果能读懂你，你也曾有过蔚蓝色的大海、碧波荡漾的湖泊和繁茂葱郁的森林。你饱经风霜的面孔和证明你也曾孕育过生命的化石告诉我们，在几亿年以前，你曾是一片汪洋大海，和现在的几大洋一样连成一片，并且也孕育了地球上最原始的生命。那些低级的藻类植物曾经在你的养育下繁茂而健壮，它们一年年地生长，又一年年地死去，留下了你曾是大海的最早证明——藻类化石，那化石上一层一层的年轮是地球上最早原始生命的痕迹。当有一天，你洋洋得意，以为地球是你的天下，是你创造了地球上的生命时，突然，从你身上露出了一座小山，你拼命地想打垮它、压倒它，一次次涌起的波涛不但没有将它打倒、打垮，它反而越长越大，终于将你死死地围住，把你从放荡不羁的大

由于全球气候转暖和干旱的原因，目前在葛顺戈壁很少能见到高大的乔木。图为戈壁中干死的树木。

海，变成了一个温顺的湖泊。

生命在于运动。地球的运动不仅可以创造大海，也会创造出湖泊和高山，这是宇宙使然，也是生命使然。你认命了，你服输了，既然宇宙可以造就地球，造就大海，为什么不可以造就出一个湖泊呢？你心平气和地开始了你的第二次生命历程。于是，原来的海相生物在你的改变下，纷纷爬到了湖岸上，成长为统治当时地球的恐龙等原始陆地动物。一些珊瑚类、腕足类和海百合等，由于不听你的命令，而永远地留在了泥土中。当时是你最风光、最得意的时期，一些海洋植物由于你的精心培育和自然选择，成长为遮天蔽日的大树。在广阔的草原和大树下，一些恐龙等爬行动物在嬉戏，有一些为了适应新的环境争取最大的自由，慢慢地竟然长出了翅膀，飞向了天空。这是多么美丽动人的一幅画面啊！地球第一次如此热闹，如此喧嚣。而自以为是地球惟一主人的人类当时不仅没有诞生，更不会破坏你所创造的环境和猎杀生命。

你周围的山越长越大，越长越高，变成了今天高大雄伟的天山、昆仑山等大山，而你却在地球又一次的生命裂变中，湖水越来越少，以至于完全干涸。那些统治地球的恐龙，适应不了你的变化，纷纷地倒下而死去，会飞的飞走了，能跑的跑走了，而另一些就以另一种生命方式生存下来。物竞天择，适者生存，这是一次痛苦的选择。随着天山、昆仑山的一天天长大，连大西洋的海气都进不了你胸膛的时候，那些大树也在劫难逃，只有纷纷倒下。生命又复归于沉静之中，一切都是命运使然。

今天，当我看到你这荒凉、干涸的躯体，回首你亿万年的往事和沧桑时，我感慨万千，生命

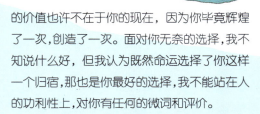

哈密葛顺（南湖）戈壁硅化木。目前像这样的景观已不复存在。

的价值也许不在于你的现在，因为你毕竟辉煌了一次，创造了一次。面对你无奈的选择，我不知说什么好，但我认为既然命运选择了你这样一个归宿，那也是你最好的选择，我不能站在人的功利性上，对你有任何的微词和评价。

生命在于运动，又复归于运动之中，人又何尝不是如此呢？只要曾经经历过、追求过，无论成功与失败、荣耀与寂寞，那就是你最好的选择。

化 石

当有一天，一场远古的浩劫，一次灭顶之灾，曾经降临在这片戈壁上时，以一场不可抗拒的威力，把毫无准备、措手不及的你，卷入到那暗无天日的地狱，接受火与水的考验时，你从此远离了春华秋实，远离了春夏秋冬，你不再拥有阳光和小鸟，也不再拥有生命的年轮时，你沉静在大地之中，默默地接受命运的考验。这是一次生与死的考验，也是一次顽强与懦弱的考验，许多不堪重负的生命，从此烟消云散，形神皆灭。而你却用一种信念，一种力量，把黑暗击穿，把光明召唤，重新演绎生命的内涵。

从此，在你的世界里，除了黑暗，还是黑暗！黑暗是宇宙的本色，黑色是生命的原色。在黑暗中，一些意志薄弱者，忍受不了考验者，化为了尘土，融入到了土壤中，而你却凭着坚强的信念和意志，在冰凉和重压之下，用一种雕塑般的造型，

戈壁奇石

把生命的短暂和永恒、脆弱和坚强，表现得淋漓尽致。

我不知道那远离红尘的世界，对你而言是炼狱，还是世外桃源，也不知对改变了你命运，或者说毁灭了你生命的那场浩劫和灾难，你是悲泣，还是感激。其实我不应以人的悲欢来评价你。我只知道，当你经过那黑暗和重压、冰凉和寂寞，经过涅槃，重新回到这早已沧桑的世界时，你已足够强硬，变成了坚硬的岩石，从软弱变成了坚强。其实吐故纳新也是生命的一种必须，你选择了不屈的灵魂和坚硬的岩石，抛弃了腐烂的肉体和泥土。在岁月的尘埃里，证明了自己的存在，也证明了这片戈壁曾是海洋和湖泊。

亿万年后，当我来到这片被称为南湖煤矿的地方时，看到了软弱者腐烂的躯体，经过高压和黑暗变成了煤炭。在一片被探石者称为东沟、西大沟、南北大沟的地方，更看到了你经过炼狱而坚强地留下来的木化石和动物化石时，我相信这是一种缘，是冥冥之中的、操纵宇宙运转的主让我和你在这里相逢。让我可以穿越时空，试想这里发生的一切，去听你讲述着这世界的沧桑巨变、世态炎凉。我轻轻地握着你、端详着你，你这涅槃的凤凰，向我讲述着你的信念：生命不仅在于曾经存在，还在于创造。

奇 石

当曾经创造了辉煌、孕育了生命的你终于沉寂时，人类却无视你的过去，说你是一片毫无价值的地方，既没有生命，也吞噬着人类创造的文明。他们住在城市的高楼大厦，享受着电视、互联网和汽车、酒吧、舞厅带给他们的物质和精神享受时，他们早已忘记了你，忘记了你的过去，忘记了你曾经创造了他们，并进而影响了他们的思想、文化和艺术。他们以为他们早已和你没有一丝的关联，他们的食物在高科技的温室里不用土壤就可以快速生长起来，他们的水经过几十道的过滤而纯净得只有 H_2O，他们的孩子不用去野外就可以在动物园里观看骆驼、羊和早已见不到的老虎、狮子。他们可以坐在家里，通过电视、电话和互联网就可知天下大事、自然万物，他们早已沉沦于高度的物质享受和感官上的愉悦。

当他们中的一些人因久住楼房而身体退化为肥胖而减肥的时候，当他们的孩子因喝了太多的饮料而容易感冒吃药打针的时候，当他们一些人因久居城市呼吸废气而麻木的时候，一些人才想起了你，想去换一种环境。其实，最初他们就是抱着一种好奇和炫耀自己资本的目的去的，当看到大漠、沙丘和一望无际的荒漠时，一些人因此而沉思，想起了自己也许和你有什么千丝万缕的联系，但另有一些人仍畏惧地退回到原来的钢筋水泥中。

另有一些人，当他们看到散落在你身上的那些木化石、风凌石、戈壁石、沙漠漆、羊肝石等许多奇形怪状、五颜六色的石头的时候，出于好奇，带回了家里。一些人读懂了你，也读懂了自己的时候，他们称你为禅石。一些人从你身上发现许多与其他石头不同之处时,他们称你为奇石;而另有一些人只不过把你当作了一种谋生的手段和炫耀的资本而已。

他们不知道你是如何孕育出了这些石之精华,他们不懂那是你经过亿万年的阵痛而孕育出的精灵。记得一位赏石大师曾经说过:奇石是有性格的。是的,我承认你的性格就和你孕育出的奇石一样博大、坚强、空灵。

文 明

当大海变成了湖泊,湖泊又变成了陆地,陆地经过千百万年的地壳运动,星转月移一切复归于平静的时候,出现了人类并在你一片片的绿洲上创造了文明时,你终于有了一个名字,莫贺延碛也好,葛顺戈壁也好,你终于接纳了人类,承载了一片片绿洲上的文明,但在聪明、智慧的人类面前,你仍然是一个谜,是居住者望而却步和旅行者艰难跋涉考验其心智和毅力的苦海。就算人类已经进入 21 世纪,就算人类早已登上了月球,就算人类有先进的遥感探测、基因测试等考古技术,但又能如何呢,你仍然把许多人类文明的秘密留给了我们。

最古老的秘密也许就是五堡人人种之谜了。在这片不曾被人注目的戈壁一隅,一些考古学家铲出了你埋藏了 2000 多年的秘密,一个世界上目前居住位置最东的古代印欧人,他来自何方,又消失在那里,成为了当今国际学术界关注的热点,许多学者都在关注、讨论着与之相关的历史、考古、人文资料。中外科学家都赶到了这里,又是挖掘、摄像,又是试验测试。但喧闹过后,他来自何方,为何来到这里,最终又消失在这里,这些秘密仍然深深地埋藏在你身上。

第二个秘密也许就是在美国卫星上显示出一个大问号的罗布泊楼兰人的故事了。一座在丝绸之路上起着重要作用、人民富足、市场繁荣的城市,忽然有一天人去城空,连一些刚刚送到的文书都还没来得及打开,发生了什么事,他们都跑到哪里去了? 有一种说法是当年他们越过你这茫茫的葛顺戈壁,九死一生来到了哈密的五堡。他们是如何穿过你这茫茫的戈壁的,他们的后代还在吗? 这又是一个谜。

丝绸之路大海道、五船道之谜,宋朝使臣王延德出使西域在十三间房遇狂风而丧失的金银财宝之谜,魔鬼城古城之谜以及大大小小土匪的传闻,李白身世之谜,著名科学家彭加木失踪之谜,你承载了多少文明,又掩埋了多少文明?你的秘密实在太多了,每一个土丘上,都埋藏了一个秘密,每一个麻扎(墓地)中,都有一位殉道者的故事,我们对你的了解还很浅很浅。

千百万年的你,因为创造过生命而显得那样的博大和无私,又因为给我们留下了许多文明的遗迹而显得那样的神秘和莫测。你这读不透的书,解不开的谜,似乎用这永恒的沉默告诉我些什么……

在这沉默中,我看到了思想和精神的饥渴,以及那古老文明和精神复活的希望。

这里虽然是人类生命的禁区,却是野骆驼、黄羊等野生动物的乐园。

回族妇女谈起石头来也是头头是道。

奇石村里的
回族探石人

位于吐鲁番地区鄯善县七克台镇的南湖村,近几年被称为"新疆奇石第一村",在当地也有一个家喻户晓的名字"石头村"。全村279户农户、1500多人,除几户维吾尔族、汉族人外,90%以上都是回族,而全村的回族人家家户户都从事奇石经营,形成了一道独特的奇石文化现象。

走进南湖村的农民家里,首先映入眼帘的是院中堆放的大大小小、形态各异的风凌石。村民们开玩笑说:"在我们这里,走路得留神,要不然一不小心绊倒你的就是一块几千甚至上万元的石头。"村里时常可以看到一些头戴白帽的回族人在拉运、整理石头。一些回族青年除了到戈壁滩上探石、采石外,还主要负责奇石销售和外地客商谈生意,而一些上了年纪的回族老人谈起石头来也是头头是道,谈话中透露出回族人特有的精明。

十几年前,随着吐哈油田的开发,在南湖村周围这片戈壁上发现了丰富的石油资源。随后国家对这里的石油进行了开采,一座座的抽油机(当地百姓称为磕头机)在田野、戈壁中日夜轰鸣。随着石油的开采,维系农民生命和耕地的水资源却日益减少。

据说,以前全村有耕地面积4000多亩,由于水资源缺乏,目前只能耕种2000多亩,有1000多亩地被迫撂荒,人均耕地面积只有1亩多。由于当地农民主要以种植小麦、棉花为主,经济效益不是特别高。无法在有限的耕地上增收的农民,将眼光转向了耕地之外的荒漠戈壁。

南湖村以东是被称为"奇石聚宝盆"的沙尔湖,以南是盛产各类奇石的南戈壁。20世纪

南湖村探石人的汽车不仅用于拉运石头,还是探石人流动的家。车里吃、住等生活用具一应俱全。

末在哈密赏石热的影响下，一些回族农民转而开始了石头生意。原先农民是整车地拉回来后，转手以一车或一吨几千元的价格卖给外地人，渐渐地随着对奇石文化的进一步认识，一些人有了精品意识，不再不分好坏整车地便宜出售，而是利用地处 312 国道的优势，在公路边上摆摊设点，一块石头一个价地卖。

南湖村回族农民正从"炮车"上吊运石头。

外地客商也看好这里的商机，投资建起了大漠奇石旅游城。村委会也审时度势，将原村委会办公楼腾出，让村民们经销各类奇石。

鄯善县委、县政府领导也排除了各种争议，与时俱进，积极支持该村奇石产业的发展，给予了免税等各种优惠政策。

目前，该村的回族探石人不仅开发了本地的奇石资源，还深入到大漠戈壁深处的罗布泊和奇台境内；一些回族农民还到内蒙左旗、云南瑞丽等地将硅化木拉运回来后在这里批发、经销，形成了产、供、销、配座、运输等服务齐全的奇石产业，据说仅 2004 年全村的奇石销售产值就有 300 多万元。

谈到南湖村奇石产业的发展，不能不说到南湖村的回族探石人，正是由于他们冒着生命的危险，探寻、拉运奇石，才保证了这里石头产业的发展。

丁万勇是南湖村最早发现奇石的回族农民，如今已 50 多岁了。年轻时他就比较喜欢冒险，开始帮人找水晶石，后来自己买了一台拖拉机到戈壁大漠中寻石、探石，从七克台到楼兰，从敦煌到罗布泊，他走遍了这里的大漠戈壁，不仅找到了水晶石等当时比较热门的矿物晶体，还发现了风凌石、木化石、玛瑙、泥石、果子化石等奇石品种，而他自己也成了奇石收藏家。

南湖村里的回族农民正是凭着坚定的信念，凭借着全村人的团结互助，有车的带上没车的，熟悉路的带上新加入的，才一个带一个，一个帮一个，带动了全村农民的增收和致富。

南湖村里的回族农民靠石头富裕了，生活条件和住房也得到了改善，走进村里面，都是整齐划一的住房，户户都实现了通电、通水、通柏油路，成为了自治区级的"小康示范村"。学校和医院门前的土路也铺上了柏油，并改善了孩子们的学习环境。村里考上大学的孩子，再也不会像以前那样因上不起学而伤心。目前已经有几十名回族学子在全国各地的高校求学，也许将来的他们会将南湖村的奇石文化提升到一个更高的水平。

一块块以前并不起眼的石头，改变了一个村子人的命运，也影响着村里孩子们的未来。

沙垄探石历险记

到戈壁大漠中探石、觅石，不仅是一项极有意义的旅游探险活动，还具有一定的危险性，有时甚至有生命危险。近几年哈密几乎每年都有到戈壁中采石而罹难的人。哈密火箭农场、鄯善七克台等地的探石人在戈壁中也遇到过一些死去的孤魂野鬼。新世纪的春节期间，我们就在库木塔格大沙漠中经历了一次险情。

一

沙垄是位于库木塔格沙漠腹地的一条长约100千米的大沙丘。由于这里地形复杂、荒无人烟，再加上流沙比较多，去这里探石有一定的危险性。

我在雅矿的朋友曹国伟说他们最近在那里新发现了一处有风凌石的地方，还没有人去捡过，能找到一些精品。我们决定去实地考察一次。出发前我们联系好了一位雅矿有车的朋友，准备到时同行，但到雅矿时，他却不在家。家人说他已经外出觅石两天没有回来，也不知去了哪

里，估计是去了沙垄。我们决定也去沙垄并看看他遇到了什么危险。

汽车在荒凉、坎坷不平的戈壁中上下颠簸着，就像大海中的一叶孤舟，显得那样的渺小和无助，周围除了几丛稀疏枯黄的沙生植物外，没有一丝生命的痕迹。

从雅矿到沙垄的这条路，是从阿拉塔格铁矿拉运矿石到尾亚的卡车压出来的，根本不适合我们的越野车行走，据说司机们走这条路是因为这条路上有几处泉水，也比较近。

一个多小时后，我们在路上遇到一辆拉矿石的卡车坏在那里，司机为了取暖只能烧树枝和轮胎，脸被熏得像非洲黑人一样。前去一问，他已经在此呆了四天，正在等待救援的车辆，没有看见小汽车路过，也没有见我们的朋友。

我们继续往前走，在途中路边几米远的地方，小曹说有一处羊肝石出露点，我们下车看了看，由于表层裸露的石头已被人捡走，而散落在周围的又被风沙吹砺打磨得不够，颜色也不鲜

葛顺戈壁腹地的库木塔格大沙垄

铺设消防水管通过沙地。

艳，所以没有什么收藏价值。矿床中有几处被炸过的痕迹，估计是开采出石料作工艺品原料。四个小时后，我们终于到达了沙垄。

二

在一眼望不到边的沙漠中，有几十条羽状的沙丘，在这些东西走向的沙丘之间，露出了青灰色的石头，风凌石就产在这些青灰色岩石上。

这里的沙丘和马蹄山的不同，马蹄山虽有沙丘，但都比较小，没有连成一片，而这里的沙丘不但高，而且是流沙，汽车走在上面，极容易陷车。我们的车在冲下沙丘时，虽是下坡路，仍陷在了那里，挖掉轮胎两边的沙子，汽车总算开到了沟底。

在这里我们没有发现朋友的吉普车，估计是他没到这里，而是去了马蹄山。好在来这里觅石的人不多，还有一些风凌石可捡。

中午三点左右，我们选好了石头，准备返回。汽车冲了好几个沙丘，都没有冲上去，陷在那里纹丝不动，由于没有树枝可垫，我们只能找一些石头边垫边退到沟底。小曹用脚踩出了一个流沙不多的地方，选好了地势，告诉司机中途不要换档，司机加足油门终于冲上了沙丘，开到了坚硬的戈壁上。

当人把自己交给了自然，远离了人群，在荒漠戈壁中行走时，其命运并不完全掌握在自己手中，迷路、狂风、大雪、汽车抛锚等因素都可能使你接受命运的考验。因此像我们这些经常出野外探石的人，在车上最忌讳有人问几点能到达目的地，最多只能问还有多远。

那天在车上；有人却冒出了一句赶天黑我们就可以回到哈密的话，我们都感到心里没底。

不幸的事发生了，刚走了不到半小时，也许拉的石头太多，汽车的轮胎就爆裂了一条，换上备用胎后，又走了近两个小时。司机忽然大叫："不好！"停车一看，我们都吓了一跳，原来又扎破了一条轮胎，车上没有工具，也没有备用胎了。

现在离雅矿还有40多千米，这可怎么办，总不能等在这里。为了安全我们商量由两人守车，我和小曹带着水和馕，朝着雅矿的方向步行去找救援车。

三

走在荒凉的戈壁滩上，刚开始我们还有话说，走了一个小时后，回头还可看见变成黑色小圆点的汽车。我以为已经走了七八千米了，天黑前可赶到雅矿，但小曹却说在有风的戈壁上我们只走了四五千米。我不信，用表计算自己的脚

步，每分钟走110多步，每步以50多厘米计算，1分钟能走50多米，一小时才能走3千米。要到雅矿按路程我们至少要走10个多小时，半夜才能到达。这样一算，我们都对继续往前走失去了信心。呆呆地坐在荒凉的戈壁滩上，我们不知是要继续往前走，还是返回车上。

这时，天慢慢地开始变暗，刮起了北风，吹在身上感到有点寒冷，灰蒙蒙的天空没有一颗星星，也许今晚会刮大风或下雪。难道就这样坐以待毙？不行，至少我们没有迷路，知道雅矿确切的位置，无论怎样也不能失去信心和勇气，想到这儿我们又朝雅矿方向走去。

走着走着，我们忽然听到了汽车的声音，跑到一个山丘上一望，远远地看见有灯光移动，我们打起了精神，朝路边跑去，走近一看果然是一辆大卡车，挡住后一问，司机说要去阿拉塔格送水，从雅矿出来已经走了三个多小时，并劝我们不要再往前走了，再走十几个小时也到不了雅矿，不如坐他的车返回。他说后面有他们的三辆空车，可以租一辆车去雅矿，我们只好听从了他的劝告，坐车返回。

后面果然有几辆车，有一辆车的

司机竟和小曹认识，谈好价格，拿上坏轮胎，小曹和司机先去雅矿补胎。我和另外一人守在车里。经过5个多小时的漫长等待，他们终于返回。但雅矿补不了小车轮胎，小曹借了个备用胎，总算使我们安全回到了雅矿。晚上又租了一辆出租车，拿上轮胎到哈密补好后，又回到雅矿才把车开了回来。

这天晚上，由于西伯利亚寒流的入侵，哈密地区遭遇了几十年罕见的大雪灾。雅矿等地刮起了大风，气温降至零下20多度，后半夜下起了大雪，哈密山区乡场由于雪太大有几千只牲畜被冻死。回想起当时的情景，真是有点后怕。雅矿的朋友说，现在正是春节，许多运矿石的司机都回家过年了，你们还能遇到汽车，算你们的运气好。

一个月后，当我们再次来到沙垄时，虽然没遇到什么危险，但这里的石头已被人拉运一空，到处都是车辙。性能更优越的"牛头"虽然穿过几条沙梁到了更深处，但终究没有发现值得收藏的石头，我们只能空手而归。

位于沙垄腹地的西气东输伴行公路旁的麦草方格是用来防风固沙的。

探究罗布泊的奇石

罗布泊自 100 多年前由瑞典探险家斯文赫定发现了神秘失踪达千年之久的楼兰古城后才引起了人们的关注。

就像被风沙掩埋、人去城空的楼兰、米兰、尼雅等古城遗址和彭加木失踪、余纯顺罹难等谜一样，人们对罗布泊的奇石也有许多传闻。

特别是著名科学家彭加木在罗布泊考察时曾给上海友人介绍了罗布泊的奇石，并称赞此地的石头是"绝妙的盆景材料"。一些人对此进行了猜测，一些商贩为了抬高自己奇石的身价也常常标榜自己的石头来自于罗布泊。

罗布泊楼兰遗址

到底罗布泊有没有奇石？罗布泊的奇石在哪里？彭加木所指的奇石是什么石头？近几年，我在查阅了一些资料、采访了一些探石人和地质工作者后，初步解开了这个谜。

罗布泊形成于距今约 100~200 万年的更新世，当时的范围很大，可能在两万平方千米以上，属淡水湖。在距今约 70 万年的更新世晚期，变成了半咸水湖，有些地方可达到咸水湖。大约在距今 40 万年变成了盐湖，沉积了大量盐类。在距今约 3.5 万年，一次规模较大的新构造运动，使罗布泊地区地壳产生断裂性差异运动，在盆地中心部位沉降继续接受沉积，而两侧

相对上升形成台地。因此从罗布泊的地质变迁中，估计它的湖盆中很难发现奇石，不具备形成奇石的内外因条件。其两侧的台地，因遭到长期风蚀水冲的作用，形成了形体各异的雅丹地貌。从周围的岩层出露和风沙的情况看，倒有可能形成奇石。果然，近三四年来随着罗布泊钾盐矿的开发，有人在罗布泊湖盆周围的沙丘中发现了奇石。

这处奇石出露地位于罗布泊老钾盐矿以南 60 多千米处一片山体上，这片风凌石产地被七克台人称为罗矿。山体虽然不高，但范围比较大，这里的风沙较大，汽车不容易停靠到山边。风凌石的造型千奇百怪，硬度较高，从看到的几块罗布泊风凌石来看，外形和其他地方的风凌

石没有什么大的区别,颜色以青灰色为主,间杂有石英脉。

从风凌石所处的位置和当时彭加木的考察区域来看,此地的风凌石应是彭加木所指的奇石。因为20世纪80年代左右,赏石的人数不多,风凌石这一石种还没有多少人知道,而且无论在上海,还是在西北,造型奇特的风凌石确被一些人当作是制作盆景假山的材料,故他在信中称罗布泊的风凌石是"绝妙的盆景材料"。

值得一提的是罗布泊地区除已干涸的湖盆和周围的沙漠外,在其戈壁滩上还发现了一些值得收藏的玛瑙、碧玉和戈壁石,棱角分明,是极好的抽象石类观赏石。今后随着人们的进一步探访,相信还可以在此发现沙漠漆、泥石等大漠戈壁中出产的奇石。

据2004年7月的《新疆日报》图片新闻报道:地质工作者在塔里木盆地做地质调查时,在罗布泊首次发现1.4亿年前硅化木化石群。此次发现的硅化木化石分为松柏、苏铁、银杏、真蕨、种子蕨等植物。除此之外,调查队还发现了恐龙等脊椎动物化石。这表明在1.4亿年以前的侏罗纪时代,这里呈现的是河流纵横、湖泊发育、森林茂密、气候湿润的自然景观,与今天罗布泊地区的沙漠构成强烈对比。

目前,开采罗布泊风凌石的主要是哈密和鄯善七克台人,从哈密到此地需要绕行到马蹄山才能到达,共610多千米路程;而从七克台到此地只有310千米,故主要以七克台人为主,开采历史也只有两三年。这里的石头主要是供给上海、广西、广东等地的外地石商,一般论件后由外地石商直接打包运走。

神秘的罗布泊虽然留下了许多秘密,但在一些探石人的探寻下,目前已发现了丰富的风凌石资源。

162

千奇百怪的戈壁景观

戈壁一词来源于蒙古语，其意是指很难见到有草木生长的地方。《现代汉语词典》解释为多是沙子和石块，地面缺水，植物稀少的地区。在我国地貌学中将荒漠划分为四种类型：岩漠、砾漠、沙漠和泥漠，而戈壁一般就是指岩漠和砾漠，它是中国西部地区所特有的一种地貌。

提到戈壁，人们认为那里除了一望无际的砂土、石块和稀疏的植物外，其他一无所有。其实戈壁中有不少独特的自然景观，除了胡杨树、鸣沙山、沙泉等，一些还因是奇石的重要出露地而引起了探寻者的一次次光顾，也是一种很值得观光、旅游和考察的地方。

化石山

也许是由于地处塔里木盆地北缘的乌什"燕子山"正好处在城西的小山上，才使得这座含有石燕类贝壳化石的小山在新疆很有名。但近几年随着赏石热的兴起，在戈壁大漠中也发现了一些含有化石的山体，有些被称为化石山，有些称为贝壳山，目前已知的有3处。

化石山在鄯善县迪坎儿以南的戈壁中，相对高度在100~200米之间，山体上满山都是裸露的化石层，随手拾起一块巴掌大的石头，就能看到表面非常完整的几枚贝壳。往山上爬时，几

乎每走一步都能踩上化石，这里还曾发现过鱼类、珊瑚等化石。贝壳山出现在巴里坤县三塘湖与蒙古国交界的苏海图戈壁，在山上有时还能看到珊瑚、腕足类和三叶虫等化石；同时，近几年在哈密南湖戈壁距哈密市150多千米处，奇

石爱好者也发现了一座2千米长、20多米高的以珊瑚、贝壳化石为主的化石山。

你也许会问：为什么珊瑚、贝类等海洋生物会出现在这荒山戈壁上呢？

要知道底细，只有让时空再回到3亿年前的古生代。当时这些地方都是广阔的海洋，阳光充足，气候温暖，海洋生物繁盛，以后一次次的地壳运动，使海水退去，海底隆起成山，原来的

生物也就变成了海相化石,而这些含有化石的山体经历长期地质年代多次变更改造,最后形成了目前的化石山。

水晶滩

水晶是一种最常见而又最古老的宝石。水晶在古代被称为"水精"、"冰玉",还有"玉晶"、"棒冰"、"菩萨石"、"放光石"、"眼睛石"、"马牙石"等多种名称。由于水晶晶莹剔透,古人认为它是冰在地下埋藏多年而变成的。无独有偶,古代欧洲人也认为水晶是上帝由冰造出来的,水晶是冰的化石。

实际上水晶与冰毫无关系。水晶是结晶比

后者在水晶中包含有大量很长的针状、发状或纤维状的矿物晶体,这些矿物包裹体常有鲜艳颜色或闪光,显示出特有的一种美丽,在古代被认为是"稀世之宝"。

水晶中的晶簇、晶洞是观赏价值极高的矿物晶体类观赏石,受到越来越多赏石爱好者的喜爱。水晶一般产在热液矿床中,成矿条件要求极高,但在戈壁中也有因地质作用显露出来,形成了美丽的水晶滩。

在哈密南部马蹄山附近就有这样一个鲜为人知的水晶滩,那里随处可见晶莹剔透的水晶石。每当夜晚明月当空,冰晶在月光下闪闪发亮,犹如天上的星星,银光闪闪,人们仿佛置身

哈密五堡雅丹地貌

较完美的透明石英,其化学成分主要是二氧化硅。它的硬度很高,列为7级,比钢铁还硬,即使是最锋利的钢刀,也休想在它身上留下一丝痕迹。水晶本身是纯净无色的,但因含有铁、锰、钛等杂质而呈现不同的颜色,有无色水晶、紫晶、蔷薇水晶、黄晶、水胆水晶和发晶等。最神奇的要算水胆水晶和发晶了。前者由于肉眼可见液体,轻轻摇动,水珠分合,十分有趣;而

于童话中的水晶王国。但遗憾的是由于一些人的无知,用炸药将水晶滩炸得支离破碎,使这一珍贵资源遭到破坏。只有在一些矿工那里,才可以看到这些美丽的水晶及一些晶簇,特别是那些金黄色的珍贵发晶。

雅丹地貌

雅尔丹,简称雅丹,是维吾尔语"险峻丘陵"的意思。19世纪末20世纪初,瑞典人斯文

内蒙古
沙漠玫瑰

凿，许多平台被冲刷成沟沟坎坎，支离破碎，于是海岸、平台、丘陵就变成了高低不一、奇形怪状的岩体，坚硬部分更加峭壁耸立，姿态万千，于是大自然塑造的雅丹地貌就这样诞生了，成为当今戈壁荒漠中的一大奇观。

近年，由哈密太阳旅游开发公司开发建设的哈密五堡魔鬼城，每年都吸引了大批国内外游客，同时雅丹地貌区周围发现的奇石，也吸引了一批采石、觅石人。

赫定、英国人斯坦因在罗布泊考察后，在文章中首先采用了这个词，专指戈壁荒漠地带出现的风蚀地貌。这些雅丹地貌在天山南北戈壁荒漠中多少都可看到。著名的有克拉玛依乌尔禾风城、奇台县的五彩湾、哈密五堡的魔鬼城、罗布泊东北缘的龙城，都是这种地貌。

这些戈壁荒漠中的雅丹地貌何以称作"风城"、"龙城"、"魔鬼城"，这正是由于雅丹地貌同大漠戈壁是截然不同的两种自然景观。雅丹地貌沟壑连片，蜿蜒起伏，沙岩峭壁耸立，有的高几米，有的高几十米，有的形如堡，端庄凝重；有的状如宫，龙盘虎踞；有的高似塔，顶天立地；有的层层叠叠，高高低低，像蘑菇，像石林，似舰船，别具一格。虽然景致没有桂林山水之秀，巍峨高峰之险，但它是戈壁中一个有血有肉的精灵。

这些雅丹地貌的形成，依科学工作者解释，主要还是风的作用。但在远古年代，这里并不完全是这样，随着时光的流逝，地球经过亿万年的沧桑巨变，进而在剧烈活动中断裂、提升、下降，加上大漠狂风的撕扯，滂沱大雨的荡涤、雕

盐湖中的玫瑰

在戈壁荒漠中穿行，常常可以看到大大小小的盐湖。

我国有近千个盐湖，大多数都分布在西部的戈壁荒漠中，盐湖不仅盐类资源丰富，而且元素含量较齐全，不仅给我们提供了食用的盐，而且是化工、农业、轻纺、建材、国防及尖端技术中不可缺少的原料。这些盐湖，虽然上无一片树叶遮荫，下无一寸青草吐绿，但远远望去，待开发的盐湖像一块块刚开垦的处女地，湖面呈鱼鳞状，形似波浪滚滚。开发后的盐湖，一池又一池的莹莹卤水，波光粼粼，分外醒目。池边白花花的盐垛又似一堆堆银山，晶莹闪耀。盐湖内一片

盐湖边的风蚀地貌

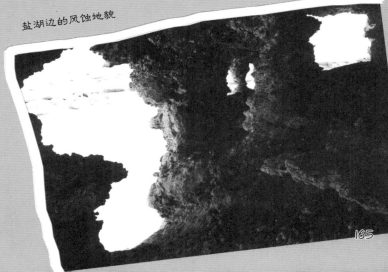

165

戈壁盐田

又一片银色的结晶体，在强光的折射下发出璀璨的光泽。在盐湖不少地段的路是盐铺的，住房、库房、床铺甚至桌椅、炉灶都是用盐块砌成的。

更奇的是一些盐湖不仅出产盐晶，即石晶花，而且有些盐湖中还盛产石膏花，也就是被一些书中写得神乎其神的"沙漠玫瑰"。

"沙漠玫瑰"其实就是盐湖中硬石膏的花瓣状聚晶，但并不是所有的盐湖中都出产它，只发现于沙漠和戈壁地区，形成条件非常特殊。在我国第三大沙漠内蒙巴丹吉林的盐碱湖中就有出产，最大可达 30~50 厘米，颇似花篮。颜色有白色、浅灰色、天蓝色、粉红色和黑色等，以粉红色最鲜艳，为含嗜盐菌所致，称为红玫瑰；黑色为含有机质碳高而成，大瓣者称黑牡丹；白色玲珑剔透，称白玫瑰。以上三种是沙漠玫瑰中的佼佼者。

近几年在新疆也发现了一些出产石晶花的盐湖，但还没有发现沙漠玫瑰。目前新疆奇石市场中的沙漠玫瑰主要来自内蒙古，颜色比较单一，以土黄色为主，观赏性较差。

火山遗址

早在两千多年前我国最早的地理名著《山海经》中，就有"南望昆仑，其火熊熊，其气魂魂"的关于火山喷发活动的生动记载。火山是地壳深部或上地幔物质——岩浆沿地壳裂缝喷出地表的产物，它是地壳运动的佐证，也是人们直接洞察、研究地球演化奥秘的一个天然窗口。

人们通常将现今经常或周期性喷发的火山称活火山，将曾经爆发但迄今仍处于休眠状态的火山称休眠火山，而死火山则是指有史以来无喷发活动的火山。

新疆除了 1951 年在于田县南部克里雅河源头附近的昆仑山中曾发生过火山爆发的记录外，还没有发现过活火山。新疆的火山一般都是死火山，主要分布在天山等山脉中。

整个天山山脉，从东到西，今天都可以看见大面积的火山岩和古火山口，串珠状的火山岩带长达数千米，甚至 100 多千米，多次喷发的火山岩加上沉积岩夹层，厚度少则十几米，最厚的达 8000 米以上。不过古火山毕竟成为历史了。然而在西天山与西准噶尔广阔的土地上，至今还分布着大大小小的泥火山群，其中最壮观、最典型的有独山子、乌苏等处的泥火山群，年复一年无休止地喷发。

在新疆的沙漠戈壁上同样也有火山的身影，只不过有些火山口与火山地貌因时代久远，绝大多数已难寻当年的踪迹。但在哈密的戈壁上目前仍可看到古老的火山口。目前发现的主要有 3 处：一处是在哈密市东南雅满苏镇以西20 多千米的雅满苏山顶，不过该火山喷发时不

怪石嶙峋
的红石头山

是以熔岩为主，而主要是气体物质；另一处是伊吾县淖毛湖镇的北山，有一对孪生的古火山口，也是古火山喷发后的遗留痕迹。大家都知道淖毛湖产玛瑙，玛瑙就是火山喷发时岩浆活动的产物。同时，在哈密南湖戈壁中也发现过浅碟状古火山口。在一些火山遗址周围，到处可见古火山所留存下的大量火山渣、火山弹和浮石，火山弹有的似球形，有的似纺锤形，有的是不规则形，是极好的观赏石。有些充满气孔呈蜂窝状的火山岩，石质坚硬，但比重很小，可在水面上漂浮，是很好的盆景制作材料。

怪石山

怪石山和雅丹地貌的形成过程大体上一致，主要是风蚀作用形成的，但二者的岩石不同，雅丹地貌主要是由松散的沉积岩构成，而形成怪石山的一般是花岗岩，是花岗岩地区风化的杰作。

怪石山怪石嶙峋，其形成原因主要是构成花岗岩的石英、长石、云母在冷缩热涨情况下，石英呈白色又反光而坚硬，长石是肉色的容易吸热，云母是黑色的吸热特别快，在冷热变化快又大的时候，它首先破碎而脱落，产生小的孔洞，洞穴中的沙粒透风时，又回旋于内部摩擦，从而加快了洞穴的风化作用。同时再加上花岗岩的节理和层理之间又很密集，因此山崖就好像动物形象，或站或立或坐或爬，有时微风吹来，可在山石洞穴响起抑扬顿挫的箫笛声或口哨声，而当大风吹来时，又可听到鬼哭狼嚎的声音，使人不能不感到大自然的神奇。

目前新疆比较著名的怪石山有博乐的怪石峪，当地人称为怪石沟，是我国西部罕见的巨大怪石群之一，已成为当地著名的旅游景点。新疆

近几年又发现了几个怪石山，一个在巴里坤县城西北部的群山中，另一个位于哈密沁城南部的戈壁荒漠地带，在托克逊县的克尔洞也发现了一座怪石山。

怪石山虽然是一种自然景观石，并不在奇石的范畴之内，但在鄯善县的戈壁荒漠中，七克台南湖村的探石人四五年前发现了一座怪石嶙峋的山体，体量大的有六七米，小的有十几厘米，颜色多为暗红色，虽然表面粗糙，不适合室内赏玩，却是一种极佳的园林观赏石，开发出来后已远销到了北京、上海和广东等地。

巴里坤怪石山

戈壁探石人

探石趣闻

　　本人在近几年的藏石、探石和赏石中,听到了许多探石人的奇闻轶事,现整理如下,权当博你一笑,请勿对号入座。

肥水不流外人田

　　有一人去马蹄山捡石,由于坐车走了五六个小时,这位老兄肚子憋得难受,车刚到山前,同伴都急急忙忙上山觅石,他却赶快跑到山下一处平滩方便。正在方便时,抬头一看,眼前有一条蛇在爬动,吓了一跳正准备跑,但又仔细一看,原来是一块形似于蛇的风凌石,石头表面被风蚀得光滑圆润。此人大喜,方便后急忙抱了起来。同伴见后,纷纷评价此石的奇特。从此,此人上山捡石,坚信肥水不流外人田,非要憋到捡石头的地方后才方便。

探石亦有生命危险

　　近几年,随着南湖戈壁这片神秘的荒漠被探石人一次次搜寻,一些人在探石中不仅找到了奇石,发了财,同时也发现了不知何时罹难

者的尸体。这些尸体由于戈壁荒漠特殊的气候,有些已变成了干尸,由于在沙尔湖周围发现的比较多,估计大多数是找矿的人迷路而死亡。在其周围除了空了的水壶(或盛水葫芦)没有任何东西。几年前,有人在沙尔湖的一具干尸皮大衣口袋里发现了1953年版的人民币,共18元,有10元、5元面额,还有一张是3元面额的人民币,估计此人罹难已有40多年了,因为早在1964年4月这种版的人民币就在国内停止了流通。

巧　石

　　人们常将两块或两块以上自然断裂后,能重新拼接好的奇石称为巧石。有一对夫妻由于喜爱奇石收藏,故常常一起去戈壁滩觅石。一次在戈壁滩上,丈夫捡到了一块硅化木,虽然造型可以,但个头太小,正在犹豫拿不拿时,妻子突然叫他过去看一块硅化木,走过去一看好像跟自己刚才捡到的一模一样,拿来一拼奇迹出现了,一块完整的硅化木展现在他们眼前,真是巧

合。此石被夫妻二人珍藏了起来，并视为信物。

"天价"奇石上北京

几年前，有人在马蹄山捡到了一块 20 多厘米的状如犀牛的风凌石，此石不仅头部、躯干非常像犀牛，更奇的是四条腿都被风沙磨砺了出来，而且大小、位置恰到好处，放在桌子上可以站稳。捡石人不懂石头的行情，1000 多元就卖给了一个石商，还以为卖了一个"天价"。

这块石头在石商家里放了没几天，一位北京客商慕名而来，看到石头后直接给开了 12000 元的价，这个石商一听，几天时间就挣了 1 万元，这才是真正的"天价"。

据说这个北京客商把奇石带到北京，配好红木底座后，在石展中获得了金奖，有人给 10 万元他都不肯出手。真是应了那句老话：黄金有价石无价，什么是"天价"，也许不同的人有不同的理解，不同的人能卖出不同的"天价"。

有钱买不到　没钱白给你

早在奇石热之前，许多人其实是抱着一种好奇和新鲜感开始藏石、觅石。当时也没有奇石市场，更没有人去收购，一块奇石最多几百元卖给上海等地的石商，一些人即使有奇石也不知卖给谁，卖多少钱，因此，价格比较混乱。有一个老板去戈壁中的矿点办事，看到民工宿舍里摆着一块状如人头的奇石，由于此石太像人头了，就商量着让民工卖给他，民工也不知道值多少钱，就让他出价，他顺口开了 200 元，民工一听一块烂石头能卖 200 元，

顶得上自己一个月的工资，说什么也不卖了。过了一段时间，他带着这块石头到乌鲁木齐，想在哈密既然有人一口价给了 200 元，在乌鲁木齐好歹也能卖到 1000 元以上。谁知到了乌鲁木齐后找不到奇石店，更找不到买家，收古董的商贩又不要，一气之下他把石头给了一个摆夜市的老头，换了一碗面吃返回了家。

生命之源

无论是在新疆呼图壁康家石门子，还是在东天山的一些地方，都留下了古人生殖崇拜的岩刻画，这些岩刻画反映了当时人类的思想和生活。在广东丹霞风景区，也发现了两块天然的生殖器类山体。近几年在赏石热潮中，有人也偏爱这种类似于生殖器的奇石，并命名为"生命之源"或"石根"等名称，虽说很像但毕竟难登大雅之堂。古老的性崇拜在今天这个现代社会进入奇石界，也算是对生命的崇拜和敬畏吧。

有缘俯首得之　无缘眼前晃过

其实，每个探石、觅石人都有自己的故事，都有自己的奇遇，对得到奇石靠缘分这句话都有同感。

到大漠戈壁中探石觅石是极有意义的户外旅游探险活动。

是石缘。该是你的就是你的，不是你的就是跑遍整个戈壁滩也找不到。

迷信大翻版

到广袤的沙漠戈壁中，人才能感受到自己的渺小。一望无际的大沙漠中不见一草一木、荒无人烟，有些人因此而退却，也有些人到了目的地。有些人比较迷信，例如不能带女的去戈壁，不能问何时到何时归，不能说死人、刮风之类不吉利的话；另有一些人未到戈壁先洒酒祭天后再往前走，林林总总，花样各不相同。人类的迷信缘于其对未知世界的恐惧，相信每个到过戈壁大漠的人都有同感。只要讲科学，出行前了解好天气、检修好车辆，带上地形图、指南针、水和食物这些必需品，其实走沙漠戈壁也没有什么可怕的，因为我们人类也是大自然的一部分嘛。

戈壁上的卫星、飞机残骸

笔者在七克台南湖村采访时，多次听到过当地探石人讲述戈壁滩上的奇闻轶事，包括UFO等不明飞行物的故事，真假无从考证。但前几年有人在鄯善南戈壁发现的卫星残骸却是真事，也不知是哪个国家的卫星落到了戈壁中。

2004年11月底，笔者在南湖村核对本书有关内容时，又听到村里人讲在戈壁中发现了一架飞机的残骸，是1972年我国生产的，有人已经雇了卡车准备拉回来，这架飞机的废铜烂铝也能卖几万元，也算探石中发的意外之财吧。

木化石等生物化石一般都出现在戈壁中的断崖和冲沟中，越是复杂的地形越有可能发现化石。

有一次在南湖戈壁，有一人走过一片奇石出露地之后，后面的同伴在叫他，跑过去一看，原来发现一块硕大的山形风棱石，四个面都已风蚀出了造型，极有山的气势，是难得的精品。同伴问你从这块石头旁走过没发现？一看留在沙地上的脚印，果然是他的。想一想这也许就

生死探石人

自 20 世纪 80 年代以来,哈密南湖戈壁就从来没有平静过,虽然表面上它荒无人烟、寸草不生,实际上蕴藏着丰富的煤炭等资源,特别是这几年在这里发现了丰富的奇石资源,更是形成了一股"淘金热"。

目前,这一片荒漠戈壁可以说没有人类不涉足的地方。20 世纪 80 年代的"寻金"热,20 世纪 90 年代的"宝石"热,20 世纪 90 年代末至今的"奇石"热",可以说造就了一大批十万元户甚至百万元户,有些人因此而掘得了自己事业发展的第一桶金。敢于冒险也许就能发财,对于一些失业和下岗工人、农民来说是他们致富的最有效途径,但也有些人血本无归,甚至因此而命丧戈壁。有人就在戈壁上发现了一些不知何时罹难的、早已变成干尸的探宝人。近几年哈密每年都有因探石而殉命戈壁滩的人。

2002 年夏,4 个宁夏人在远通市场看到哈密奇石生意的火热,就相约到南湖戈壁寻找硅化木,由于不熟悉新疆气候戈壁的特点,在哈密本地探石人也不下戈壁的6月份到南湖大西沟采石,由于车辆出了故障,饮用水不足,4 人同时死亡。

2003 年夏,几个哈密人到南湖戈壁寻找硅化木时,其中一个人因戈壁滩上的酷暑而突发心脏病死亡。

2004 年 11 月,一个在哈密做奇石生意达七八年之久的邵姓上海人,和同伴开着车到罗布泊寻找风凌石,途中由

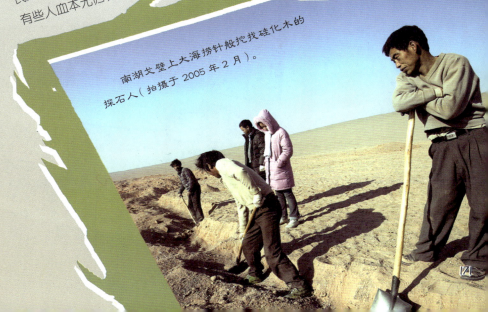

南湖戈壁上大海捞针般挖找硅化木的探石人(拍摄于 2005 年 2 月)。

被称为"炮车"的沙漠越野车，别看它其貌不扬，在沙漠中它可以和美国的"悍马"相媲美。

于气候寒冷引起伤寒死亡。

还有一些人在南湖戈壁一带探石时，因迷路、车坏等原因，九死一生，历经万千磨难而有幸获救。笔者认识的一位刘姓四川人，来哈已有十几年，1999年开始就在远通市场摆摊卖石头，但由于没有车，到戈壁上寻找石头时只能搭乘到土屋铜矿等矿点的卡车。有一次在南湖煤矿一带迷路，经过几天的艰难跋涉，此人才从红星一场南边戈壁中走了出来。哈密本地媒体也曾报道过有人因探石迷路，吃自己皮衣上的牛皮，喝自己的尿而幸运地遇到拉矿石的汽车获救的新闻。

有点门路的人，一般都是动用"牛头"、"三菱"等进口越野车，差一点的也是北京213，这些车由于性能可靠，一般都没有什么问题，但对于一些探石

探石人戏称"二蛋"的北京2020吉普车，别看它破烂不堪，最多可载2吨石头。

被挖开的沙地，硅化木已取走。

人来说，他们能用得起的也只有北京"二蛋"（探石人对北京2020吉普车的俗称）或北京212等到了报废年限的车辆，条件再次的就骑摩托车到近一些的地方采石。2001年、2002年炒石最热的时候，有些人竟骑着自行车到南湖乡附近的戈壁滩找石头，其中的艰辛可想而知。

在新疆奇石行业，真正到戈壁滩上探石的人，有些人最多只能过一个小康生活，发一些小财，真正发大财的是那些具有一定鉴赏水平、见多识广、有外地客户、熟悉国内外奇石市场行情的人，或二者兼具的人。由于奇石是一种特殊的商品，它的价值具体体现在它所具有的文化、科学、艺术性等价值上，这就要求从事奇石行业的人要具有一定的文化修养，能挖掘出一块奇石所具有的价值，从而在价格上能体现出来。

据我所知，在哈密本地以13万元成交的那块火山岩"王"字石，两年前购藏者在火箭农场农民家中购买时，农民开价只要100元，讨价还价后，最后以50元成交。经过购买者的宣传、包装和多方联系，才高价出手。

精明的石商凭自己的知识和能力，将一块石头的内涵发掘出来，通过宣传、包装，利用自己的关系在目前这种不规范的奇石市场中高价出售，也是合情合理的。他能高价出售毕竟有他自己几十年受教育、看书学习，以及到全国各地了解市场行情的智力投入。

在"知识经济"时代，任何行业的精英都是那些具有知识和智慧，具有开拓创新精神的人。在奇石行业中向来是"内行吃外行"，奇石市场的精英都是那些符合这个时代要求的人。

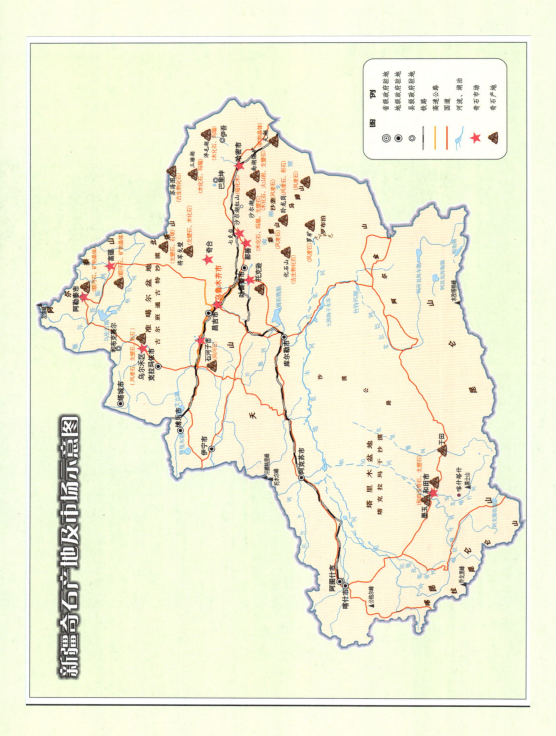

新疆奇石产地及市场示意图

后　记

经历是男人的财富。这本书虽然是我坐在书斋里写的，但大部分内容都来源于我的赏石实践，来自于实地考察、市场调查和同石友们的直接交流。

一

"人的知识是从哪里来的？"这个问题，历代先哲们和毛泽东早已做出了来自于社会实践的回答。但在实际中，特别是像我这样经过几十年的教育，掌握了一定的理论知识，并希望靠书本中的知识去解决问题时，却常常遇到许多困难。这种情况一方面是缺乏社会实践，另一方面过于迷信理论和书本知识，这也许与我们的应试教育、浮躁心态、急功近利和教条主义等有关。坐拥书城就想坐拥知识和技能，作家张承志对这种学术研究进行过深刻的批判。虽然在写作本书之前，我阅读了大量赏石理论方面的文章，但面对实际情况，我认识到理论往往落后于实践。除了一些最基本的概念知识外，我选择了实地考察和调查研究的方法，而没有过多地引经据典。也许本书的"理论性"不强，但我相信，这种来自于实践中的归纳、总结和提炼，会经得起时间的考验。这也是我在创作中思想上的最大收获。

二

当然，"人的知识不是从天上掉下来的。"它一方面来源于社会实践，另一方面还得益于书本学习。正是由于学习了他人的赏石知识，才使我能够对新疆奇石进行归纳和总结，大胆地提出一些新观点。在此，我首先感谢那些先辈学人，正是由于你们的引导才使我完成了这部书稿的创作。其次我要特别感谢在本书创作过程中接受采访、并提供资料和帮助的朋友，没有你们的帮助，就没有这本散发着墨香的书问世。他们是：

哈　密：曹国伟　朱仁卓　张健伟
　　　　封力军　冯学江　曹　昆
鄯　善：丁万勇　陈志硕　马凤梅
　　　　雷建刚
乌鲁木齐：黄渭清　朱爱朝　马旭国
　　　　刘　春
和　田：魏孔文　常国庆
克拉玛依：李忠新　牛春旺
阿勒泰：王峰善　赵翼光
石河子：李华岭
奇　台：张　忠

三

出书的最终目的就是为了让更多读者去阅读，去认识和接受你所表达的思想和信息。这是一个读图的时代，为了能吸引读者眼球，更主要的是为了让图片能发挥它直观性的作用，本书采用了大量照片。这些照片除了一部分是我本人拍摄的外，大部分都是朋友们无偿提供的，一些人拿出了自己珍藏几十年的照片资料。特别是哈密铁路分局的李文革和新疆文联的郭晓东，义务到全疆各地拍摄我所需要的照片。我深深感到，只要你干一件有意义的事情，总会有一些朋友真诚地支持和帮助你。

在此，我向主要为本书提供照片的各地人士表示我最真挚的感谢（以提供照片数量为序）：

李文革　郑向前　郭晓东　张昕中
刘志铭　顾正清　韩连赞　鲁全国
樊文净　王建中　谭斌成　丁　宁

四

本书在出版过程中，得到了中国收藏家协会领导的大力支持，中国收藏家协会会长阎振堂先生在看完样稿后，欣然题词"收藏大漠奇石瑰宝，弘扬新疆神奇文化。"我国著名书法家、中国书法家协会副主席林岫女士无偿为本书题写了书名。他们的书法和题词，为本书增辉不少，我特向他们表示我深深的谢意。

本书在写作和出版过程中，听取了一些人士的意见和建议，得到了一些人士的大力支持与帮助。正是由于他们的积极参与和帮助，才使我深深体会到本书的出版不仅仅是我个人的行为，更是关心、支持新疆赏石文化事业发展众多人士的期待。在此，我特向以下人士和朋友表示谢意：

张炳家：哈密观赏石协会会长
马丛峰：北京市文联办公室主任
高　继：哈密铁路分局多元化中心书记
李　民：哈密观赏石协会副会长
马鸿宾：广西东方石文化研究中心主任
冯小站：同舟杂志社总编
方　伟：新疆地矿局第一地质大队副大队长
蔺蓉生：哈密地区公安局
王德全：原哈密报社编辑部副主任
邹廷贵：哈密地委宣传部高级讲师
周顺新：新疆日报社记者

及参与录入校对工作的马晓华、马春梅、马晓芬等人。同时本书收录了高继、方伟近3千字的奇石赏析文章，本人不敢掠美，特此说明。

最后，我要特别感谢新疆电子出版社于文胜社长，正是由于他的慧眼识珠，认识到此书的市场前景和文化价值，当即决定由出版社投资出版并应用市场经济的手段运作、营销这部图书，才使得本书以最快的速度问世。这不仅符合了我的心意，也解决了我的出书经费和发行之困，我也为有幸能遇到这样一位熟谙市场、果断决策的人士而感到高兴。

五

书中采用的一些资料情况说明如下：

1. 目前指的是2005年2月以前调查了解的情况。

2. 由于戈壁地形的特殊性，一些地方本来就没有地名，除已有的地名外，本书所采用的一些地名名称以探石人通俗称谓为主，例如：鄯善化石山、风凌山、罗矿，哈密南湖东沟、西沟、沙尔湖红山等。

3. 部分石种由于是近几年新开发出来的，故没有标准称谓，本书以新疆大多数石友约定俗成的称谓为准，例如：泥石、果子化石、沙漠珍珠、烧饼石、彩石（彩玉）、戈壁玉等。

4. 本书精品赏析和品种图录中收录了新疆奇石的大部分品种，除木化石外，古动物化石和矿物晶体部分没有收录。

5. 奇石产地距离指的是汽车绕行所能到达的距离，不是指直线距离。

特 别 鸣 谢

哈密地区民政局

哈密地区榆树沟水库管理处

哈密地区电子政务管理中心

哈密地区质量与计量检测所

哈密地区博物馆

哈密市房地产管理局

哈密市西河区街道办事处

哈密市石油新城街道办事处

哈密市油区工商联（商会）

哈密建设工程施工有限责任公司董事长　张海勤

哈密摆氏餐饮服务有限责任公司董事长　摆继革

哈密太阳旅游开发有限责任公司董事长　尹忠杰

马吉青,回族,1968年生,笔名石磊。1991年毕业于新疆大学中语系,翻译职称。中国收藏家协会会员、新疆作家协会会员。2005年4月应邀担任《中国赏石文化通史》编委及《新疆赏石文化通史》部分的主编兼撰稿人。现供职于哈密地区政协。

作者长期痴迷于戈壁探险和对新疆奇石的收藏与研究,先后发表有关新疆大漠奇石的文章3万多字,并形成了独具特色的收藏大漠奇石的风格。

网络实名:

哈密政府网——新疆大漠奇石

电子邮箱:mjq 9679@163.com

地　　址:哈密地区政协办公室

邮　　编:839000

电　　话:0902-2250833

13809904600